パレード

吉田修一

幻冬舎文庫

パレード

目次

杉本良介（21歳）H大学経済学部3年

1・1

つくづく不思議な光景だと思う。ここ四階のベランダからは、眼下に旧甲州街道を見下ろせるのだが、一日に何千台という車が通っているにもかかわらず、一台として事故を起こす車がない。ちょうどベランダの真下に横断歩道があり、信号が赤になれば、走ってきた車は停止線できちんと停まる。その後ろから走ってきた車も、前の車との距離を計り、ぶつからない程度の位置で、そのまた後ろからきたのも、同じような間隔を空《あ》けて停車する。そして信号が青になれば、先頭の車がゆっくりと走り出し、二台目、三台目が安全な間隔を取りつつ、引っ張られるようにあとに続く。

もちろんこのぼくだって、運転する時、前に車が停まっていればブレーキを踏むし、いくら信号が青になったからって、前の車が走り出す前にアクセルを踏むことはない。当たり前だと言ってしまえばそれまでだし、そうそう事故など起こるわけもないのだが、こうやって真上から通りを眺めていると、やはりその当たり前な車の動きが、つくづく不思議に思えて仕方がない。

晴れた日曜の午後、なぜぼくがこうやってベランダから眼下の通りを眺めているかというと、理由は一つ、退屈だからだ。

こう退屈だと、なんというか、時間というものが、実は直線ではなく、その両端が結ばれた輪っかのようなものに思えてきて、さっき過ごしたはずの時間を、もう一度、過ごし直しているような感覚になる。真実味がないというのは、もしかするとこんな状態のことを言うのかもしれない。たとえば今、このベランダから飛び降りたとする。もちろんここは四階だから、運がよくても骨折だろうし、運が悪ければ即死する。ただ、輪っかのような時間の中にいる場合、一度目は即死だったとしても、二度目がある。一度目の即死を踏まえて、今度は軽い捻挫《ねんざ》で済むくらいの飛び降り方を試してみられる。三度目にはもう、飛び降りることに飽きてしまい、柵を跨《また》ぐことすら面倒になる。飛び降りなければ、なんの変化も起こらない。起こらなければ、元の退屈な時間が待っている。

この晴れた日曜日に、何もやりたいことがないわけではない。かといって、何がやりたいんだ？　と訊《き》かれるとやはり困るが、たとえばこれまでに一度も行ったことのない場所で、これまでに一度も会ったことのない人と、恥ずかしいくらい正直な言葉で、語り合ったりしてみたい。別に可愛い女の子限定でなくてもいい。たとえばそう、夏目漱石の「こゝろ」に出てくる先生とKみたいに、人生について、愛することについて、一緒に悩んだりしてみたい。ただ、自殺されたら厄介《やっかい》なので、相手は少し能天気な方がいい。

なめくじのように貼りついていたベランダの柵を離れて部屋へ戻ったぼくは、敷きっぱなしの布団を踏みつけ、そのままリビングへ出た。

リビングには「ナースのお仕事」の再放送を熱心に見ている琴《こと》ちゃんの背中があった。相変わらずパジャマ兼用のスウェット姿で枝毛を切っている。ぼくが部屋から出てきたのを背中で感じたのか、「学校が休みだと、大学生はやることないわねぇ」と馬鹿にしたように笑うので、思わず横にあった姿見《すがたみ》を、琴ちゃんの前に立ててやろうかと思った。鏡に映る自分の姿を見て、脂汗でもかけばいい。

「これからコンビニ行くけど、なんか買ってくるもんある？」

財布の中身を確かめながらぼくがそう尋ねると、枝毛を抓《つま》んだまま振り返った琴ちゃんが、「コンビニ？　何しに？」と訊く。「何しにって……立ち読みに」とぼくは答えた。『暇人ねぇ』とかなんとか言って、笑ってくれるかと思ったが、琴ちゃんは、「立ち読みかぁ、私も行こうかなぁ……」と呟《つぶや》いた。

「いいよ、来なくて」

「なんで？」

「だって、琴ちゃんが来ると、読みたい雑誌、手に取りづらくなるだろ」

「なに読むつもりよ？」

その時、テレビ画面が乱れた。点滴をぶら提げて廊下を走ってきた超ミニの看護衣姿の観月《みづき》ありさが、今にも砂嵐に呑み込まれそうになっている。最近どうも、このテレビは調子がよくない。『そろそろ買い替え時期なんじゃないの』と、テレビ本人が伝えようとしているようにも見える。

「あ、またザッピングだ」

同じように画面の行く末を見守っている琴ちゃんが言う。

「知ってる？　こういうのザッピングって言わないんだって。ザッピングっていうのは、リモコンで頻繁にチャンネルを変えることらしくて、この前、大学でその言葉使ったら誰にも通じなかった」

「じゃあ、なんて言うのよ？」

「……さぁ。とにかく、この言葉はここでしか通じないみたいだね」

そう説明しているうちに、すっくと立ち上がった琴ちゃんが、乱暴にテレビを叩き出していた。まるで痛みを感じてでもいるかのように画面が歪《ゆが》み、琴ちゃんの三発目の右フックで正常な映像に戻る。

「うまいもんだねぇ」

「え？」

「いや、うまい具合に直せるもんだなぁと思ってさ」

「ああ、これ？　こつがあるのよ」

琴ちゃんはそう答えると、また床に座り込んで枝毛を切り始めた。

「ねぇ、良介《りょうすけ》くんの好きなドラマベスト３って何？」

「それ、この前も訊かれたよ」

また廊下を走り出した画面の観月ありさを見つめたまま、ぼくは答えた。

「この前、訊いたのは月９のドラマ枠でしょ。今度はＴＢＳの金曜10時枠で。……ちなみに私はねぇ、『想い出にかわるまで』『愛していると言ってくれ』……もう一つが迷うんだけど『高校教師』か『人間・失格』のどっちかだなぁ……」

観月ありさが私服に着替えてしまったので、ぼくは玄関へ向かった。背中に、「ねぇ、ちゃんと答えなさいよぉ」と叫ぶ琴ちゃんの声がする。コンビニから戻ってもまだ回答を要求されそうだったので、「『ふぞろいの林檎《りんご》たち』って金曜10時？」とぼくは尋ね、「そうよ」

という琴ちゃんの声がしたので、「だったら、『ふぞろいの林檎たち』のⅠとⅡとⅢ」と答えて玄関を出た。出てすぐに、テレビのザッピングを直すこつとやらをちゃんと聞いておけばよかったと思い、一瞬、引き返そうとしたのだが、『いやいや、今はテレビなど映らない方がいい』と思い直して廊下を進んだ。

琴ちゃんは勘違いしているようだが、現在大学は春休みではなく、試験の真っ最中だ。お肌のためにと「NEWS23」が始まる頃には布団に入ってしまう琴ちゃんは知らないだろうが、ここ数週間ぼくは毎晩遅くまで、リビングのテーブルで「プラザ合意後の為替レート変動を示したグラフの折れ線」を龍のイラストに描き換えたり、和仏辞書にパラパラ漫画を必死に描いたりしているのだ。

ちなみにぼくは、車で大学へ通っている。と言えば聞こえはいいが、待ち合わせ場所に、ぼくの車を横付けされて喜んだ女の子は一人もいない。中古のマーチを七万円で買ったのは、大学に入学してすぐのことだった。さっそく姓名判断の本を買い込み、「桃子《ももこ》」と命名した。杉本《すぎもと》桃子——総画25で「吉」。『竹を割ったような性格で、独立独歩。憎めない人のよさがあり、孝心厚く年長者には礼を尽くす。ただ、健康面で気管支系に難あり……』その兆候は、早くも購入三日目で現れた。桃子は、走り出してだいたい10㎞の地点になると、必ずエンジンが止まる。

千歳烏山《ちとせからすやま》から市ヶ谷の大学へ通う場合、この10㎞地点がちょうど新宿の駅前に当たり、白昼アルタ前の横断歩道で、無残にエンストを起こしたこともある。いくらキーを回しても、独立独歩の桃子は動かない。すぐに信号が青になり、背後からはヒステリックにクラクションが鳴らされた。仕方がないので、ぼくは運転席から降り、片手でハンドルを握って、「よいこらしょ、よいこらしょ」と車を押した。七万円だからといって、重量が軽いわけではない。はとバスの停留所へ必死に車を押すぼくの姿を、信号待ちする人々が笑って見ていた。だが、世の中捨てたものではない。顔を真っ赤にして押していると、ふっと車が軽くなり、振り返ると、普段ならあまり関《かか》わりたくないタイプのお兄さん方が二人、桃子の尻を押してくれていた。

「おい、乗り込んでブレーキ踏め！　ぶつかるぞ！」

パンチパーマに赤いカーディガンのお兄さんにそう言われ、ぼくは慌てて運転席に飛び込んだ。ガードレールにぶつかる寸前、どうにか桃子の顔は守られた。お礼を言おうと窓から顔を出すと、お兄さん方はすでに横断歩道を渡り、アルタ前のガードレールを跨ごうとしていた。ぼくは、「どうも、ありがとう！」と大声で叫んだ。しかし、その声は新宿駅前の騒音に掻き消され、彼らには届かなかった。二人は振り返りもせず、歌舞伎町の方へ颯爽《さっそう》と姿を消した。おそらくさいたま市、もしくは千葉の流山市《ながれやまし》の若者とみた。車がトラブった時、どこからともなく現れて、救いの手を差し伸べてくれるのは、必ず彼らみたいなヤンキーなのだ。

ということで、桃子を運転する時は、無理をせず9㎞走ると一旦《いったん》エンジンを切り、そしてまた次の9㎞を走り出すことにしている。もちろん遠出などしたことがない。マイカーを持ったお陰で、すっかり行動範囲が狭くなってしまった。

大学には駐車場がないので、お堀の土手沿いに停めなければならない。もちろん駐車禁止区域で、運が悪いとレッカー移動される。ただ、他の学生の車と違い、ぼくの桃子はレッカーされない。なぜなら、土手沿いに「ルフラン」という喫茶店があり、そこのマスターがミニパトの巡回が始まると、桃子を一時「ルフラン」の駐車場に入れてくれるからだ。なぜマスターがそんなことをしてくれるかというと、ちょっと走っただけで気安くヤンキーにお尻を触らせるような桃子を、まるで箱入り娘のように、ぼくに売りつけたのが彼だからだ。

三日前「貿易論」の試験を受けている時も、マスターは桃子を守ってくれた。そういえば、試験のあと、久しぶりに会った同級生の佐久間《さくま》が、また琴ちゃんに会いたいとかなんとか言っていた。

佐久間とは武道館で行われた入学式で隣り合わせて以来の友人で、大学で唯一できた親友と言ってもいい。考えてみれば、東京での暮らし方というものを、ぼくはこの佐久間から教わった。細かいことになるが、たとえば電車の乗り方（ぼくの地元には電車が走っていない）、服の着方（もちろんジャージやスウェットなら習得済み）、おしゃれなバーの在り処《ありか》、割のよいバイトの探し方……、それら全てをぼくは彼から教わった。かといって、手取り足取り丁寧に教えてもらったわけではない。たとえば電車だ。まだ入学して間もない頃、学校帰りに佐久間と二人で山手線に乗った。当時ぼくには上京以来、ずっと気になっていたことがあった。

「なぁ、今の人たち、どこに行くんだろ？」

吊革に摑まったぼくが、この時、佐久間に尋ねたのは、電車が走っている最中、別の車輛へと移動していく人たちのことだった。もちろん今なら、彼らが自分の降りる駅の出口に一番近い車輛へ移動しているだけのことだと分かっているが、当時はそんな合理的な考えがこの世にあるとは思ってもいなかった。

「今の人たちって？」

佐久間は質問の意味さえ分からぬようで、『もしかすると、どこかの車輛にトイレがあるのかもしれない』とずっと考えていたぼくは、思い切って佐久間にそう尋ねてみた。彼はやっと質問の意味を理解したらしく、「ああ、あの人たちな」と肯《うなず》いたあと、「トイレじゃないよ、ビュッフェだよ。ビュッフェ」と言った。

もしもこの時、佐久間が、『レストラン車がある』と言ったのであれば、さすがのぼくも疑ったのだろうが、缶ジュースや新聞を売るビュッフェくらいなら、山手線の車輛の中にもありそうな気がしてしまった。悔しいから未だに佐久間には言っていないが、それからぼくが、どれほど山手線の車輛を歩き回り、幻のビュッフェを探したことか。

三日前の「貿易論」の試験のあと、ビリヤード場へ行くつもりでキャンパスを出たぼくと佐久間は、飯田橋のロッテリアに寄った。

「お前んちのみんな、元気?」

その時、佐久間がチーズバーガーを頬張《ほおば》りながら訊いてきた。いくらやめろと言っても、佐久間は必ずレストランの椅子であぐらをかく。

「みんなって誰?」と、ぼくはわざととぼけた。

「みんなはみんなだよ」と佐久間は口を尖《とが》らせる。

「だからその中でも、特に誰のことを訊きたいんだよ?」

我ながら嫌味な性格だと思う。佐久間は、「別にぃ」と答えると、頬張ったチーズバーガーを、甘いバニラシェイクで飲み込んだ。

佐久間が「お前んちのみんな」と言ったのは、現在ぼくが千歳烏山の2LDKのマンションで同居しているみんなのことだ。そして、嫌味なぼくが佐久間の口から無理にその名を言わせようとしたのが、さっき「ナースのお仕事」の再放送を見ながら枝毛を切っていた大《おお》

「悪いこと言わないから、琴ちゃんのことは諦《あきら》めた方がいいって」

ぼくは佐久間が残したフライドポテトに手を伸ばしながら、もう何度となく繰り返した忠告をした。

「彼氏と別れるのを待ってる分には迷惑かけないだろ！」

佐久間はまたバニラシェイクを飲もうとしたが、ズルズルと音が鳴っただけで、中身がストローを昇ってくる気配はなかった。

琴ちゃんには彼氏がいる。いや、本人はいると思っている（この辺が曖昧《あいまい》なので、佐久間のような純粋な男が惑わされてしまうのだが）。琴ちゃんは美人というよりも、絶世の美女と言った方が間違いがない。これはぼくの独善的な見識ではなく、現に目の前にもその例があるように、たいていの男なら素直に認める意見だと思われる。その絶世の美女が、日がな一日、パジャマ兼用のスウェット姿で、千歳烏山のマンションに幽閉《ゆうへい》されている。幽閉しているのは、琴ちゃんが短大の頃に付き合っていた彼氏で、現在売り出し中の若手俳優・丸山《まるやま》友彦《ともひこ》（目下フジテレビで放送中の恋愛ドラマで、モデル上がりの人気女優・江倉《えくら》りょうの年下の恋人役を熱演中）である。琴ちゃんは週に一度かかってくるかこないかの彼からの電話を、時に枝毛を切りながら、時に趣味のお菓子作りにいそしみながら、朝から晩までリビングで待ち侘《わ》びている。

「なぁ、今夜、お前んち遊びに行ってもいいかな？」

ロッテリアを出て、ビリヤード場へ向かう途中、佐久間が何気なさを装って訊いてきたの
で、「別にいいけど。しっかし、お前も懲《こ》りないね」とぼくは笑った。

「別に、また琴ちゃんに告白するなんて言ってないだろ！」

「あ～、またするんだ？」

「だからしないって！」

「この前のこと、もう忘れたのか？」

「覚えてるよ。でもあれはほら、ちょっと遠回しに言いすぎたから……」

佐久間は照れ臭そうにそう言うと、ガードレールを跨ごうとして思い切り脛《すね》を打ちつけた。

「あれが遠回しねぇ……。面と向かって、『俺、琴ちゃんのことが好きなんだ。毎日考えて
る。考えるとすげぇ苦しくなる』って言うのが遠回しかぁ……」

「俺にしちゃ、遠回しな方だよ」

「そのあと琴ちゃんに、なんて言われたよ？」

「覚えてねぇ」

「思い出させてやろうか？」

「いいよ」

うちのリビングで行われた佐久間の一世一代の告白を、琴ちゃんはじっと俯《うつむ》いて聞いていた。傍目《はため》には真面目に聞いているように見えた。ただ、そのとき風呂場から、「琴！　先に入っていいよぉ！」と叫んだ相馬《そうま》未来《みらい》（これも同居人）の声に、琴ちゃんは、「ちょっと待って！　もうすぐ終わりそうだからぁ」と、つい叫び返してしまったのだ。

いくら能天気な男とはいえ、その夜、佐久間が肩を落として帰ったのは言うまでもない。

さすがにぼくも唯一の親友に同情し、「いくら深層からとはいえ、今の仕打ちはあんまりだよ」と琴ちゃんに抗議した。ちなみに深層というのは無意識という意味で、フロイトの精神分析論を漫画で読んだという未来がとつぜん使い始め、当時ぼくらの間だけで流行していた言葉だった。

1・2

ときどき膝《ひざ》の屈伸運動をしながら、たっぷりと雑誌を立ち読みした。最後には読むものがなくなって、女性誌にまで手を出したお陰で「COSMOPOLITAN《コスモポリタン》」に丸山友彦の短いインタビュー記事が載っているのを発見し、琴ちゃんへのおみやげに買って帰ることにした。インタビューの中で丸山くんは『好きな子とはずっと一緒にいたいですよ。俺、独占欲が強すぎるのかな（笑）』と言っているが、独占欲の強い彼氏を持った割には、琴ちゃんは毎日欠かさず「ナースのお仕事」の再放送を見ていられる。

　コンビニはぼくらが住むマンションの目の前にある。店を出たぼくは、車が途切れるのを待って通りを渡った。マンションのエントランスに入ると、エレベーターが定期点検中だったので、非常階段を上がることにした。二階の踊り場まで昇ったところで、上の方から誰かの啜《すす》り泣くような声が聞こえる。

　ぼくは人が上がってきたことを知らせるためにわざと足音を鳴らし、歌まで口ずさんで階段を昇った。四階へ向かう踊り場を曲がると、そこに制服姿の女子高生が、脚をひどい内股《うちまた》にして座っていた。踊り場に立つぼくの顔とちょうど同じ高さに、ハンカチで押さえられた彼女の顔があった。黙って素通りするにはあまりにも狭い階段だったし、かといって、つい先日のようにヘンに声をかけ、「ほっといて下さい！」と怒鳴られるのも避けたかった。ただ、今日の女の子は、先日泣いていた女の子と違い、スカート丈も普通なら、髪も染めていない。

「あ、あのぉ」

　とりあえずぼくは声を出した。そのあとに『通して下さい』とも『大丈夫ですか？』とも続けられるような曖昧な「あのぉ」だった。

女の子はハンカチから顔を上げると、一瞬びっくりしてぼくを見つめ、慌てて階段から立ち上がった。そのとき膝に載せていた鞄《かばん》が落ち、ぼくの足元まで転がってきた。鞄を拾い上げたぼくは、「あのぉ、なんかあったんですか？」と恐る恐る尋ねてみた。女の子は鞄を引《ひ》っ手繰《たく》ると、「別になんでもないです」と答え、ぼくを押し退《の》けるようにして階段を降りようとした。その女の子の手首を、ぼくは咄嗟《とっさ》に摑んでいた。あまりに強く握ったせいかもしれない、女の子は振りほどこうとした腕から、諦めたように力を抜いた。

「あの、俺、実はこの前も君みたいに泣いてる子をここで見かけて……、君も４０２号室に来たんでしょ？　俺、その隣の４０１号室に住んでるんだ」

４０２号室とぼくが口にした瞬間、女の子の顔に緊張が走るのが分かった。ぼくはその顔を覗《のぞ》き込むように、「あの、もしよかったら相談に乗るけど……」と言った。

睫《まつげ》が涙でぐっしょりと濡れていた。濡れているせいで、濃くて長く見えた。握っていた手首をゆっくりと放すと、女の子は小さな声で、「いいんです」と呟いた。

「で、でも……」

いつになく食い下がったぼくに、「ほんとにいいんです。自分が望んで来たんだから、仕方ないんです」と女の子は静かに答え、制服のスカートを翻《ひるがえ》して狭い非常階段を駆け降りた。

あとを追ったところで、この前のように「ほっといて下さい！」と突き倒されるのだろうと思うと、なんとなく足が動かなかった。

暗い気分で部屋へ戻った。枝毛切りに飽きたらしい琴ちゃんが、今度は鏡に向かって懸命に眉毛《まゆげ》を抜いていた。

「琴ちゃん、俺、また見ちゃったよ」

「何を？」

振り向いた琴ちゃんの眉は、明らかに左右の太さが違っている。

「だから402号室の……」

「オヤジ？　若い女？」

「若い女。っていうか、まだ女子高生。非常階段で泣いてた」

「ふーん。泣いて帰る子もいれば、スキップしながら帰る子もいるっていうし、やっぱり人ってそれぞれなのよねぇ」

「よくそんな呑気《のんき》なこと言ってられるねぇ。隣の部屋で売春やってんだよ」

「まだ、そうと決まったわけじゃないでしょ？」

「だって怪しい中年男が一人で住んでて、そこに出入りしてるのが、金持ってそうなオッサンと、金持ってなさそうな若い女だよ。売春の他に何がある？」

「だって私が見た女の子なんて、『ありがとうございました！』って礼儀正しくお辞儀して出ていったのよ。売春やってる子が『ありがとうございました！』ってお辞儀して帰る？　ヘンな宗教かなんかやってんのよ。関わらないのが一番だって。それにオウムだったらどうすんのよ。ポアよ、ポア」

台所へ行って冷蔵庫を開けると、ガラスのボトルにお茶が冷やしてあった。

「これ、琴ちゃんが淹《い》れたの？　少しもらっていい？」

そう言いながら、すでにグラスに注いでいた。

「あ、それ飲まない方がいいよ。私じゃなくて直輝《なおき》くんのだから。ジャスミン茶だか何だか、今朝わざわざ沸かしてたみたい」

お茶が同居人の一人、伊原《いはら》直輝のものだと知って、ぼくはまたボトルに戻した。直輝さんのことだ、残りの分量が分かるように、ボトルに線でも引いているに違いない。

「直輝さん、なんか言ってた？　402号室のこと」

台所から眉毛を抜く琴ちゃんの背中に尋ねると、「言ってたよ。『こっちだって、密入国した外国人みたいに、管理会社に内緒で集団生活してんだから、どっちもどっちだ』って」という答えが返ってきた。

「密入国者か……」

そう呟いたあと、ぼくはグラスに炭酸の抜けたコーラを注いだ。

どうしてぼくが、ここでこのような共同生活をしているのかは、一言では説明できないし、する気もない。学校の友達を含め、これまでにもいろんな人たちにその理由を訊かれた。ただ、きちんと説明しようとすればするほど、その理由とやらから、かけ離れていくような感じしかしなかった。前に同じ質問を琴ちゃんにしたことがある。「なんで、琴ちゃんは、ここでみんなと暮らしてるの？」と。琴ちゃんの答えは、至極シンプルなものだった。「だって、丸山くんが事務所の寮にいて、一緒に暮らせないから」。要するに、琴ちゃんの選択肢には、「丸山友彦と住む」もしくは「それ以外」の二通りしか存在しないのだ。

このマンションの間取りは、まず玄関を入ってすぐ右側にトイレ、短い廊下があって左にキッチンがある。ワンルームマンションの小さなシステムキッチンと違い、マグロの一本くらいなら楽に三枚に下ろせる。キッチンの脇に引き戸があり、その奥が和室八畳の男部屋で、現在はぼくと直輝さんとで使っている。男部屋にはロフト式のパイプベッドがあり、そこで直輝さんが眠り、ぼくはその下の畳に布団を敷いて寝ている。一応、勉強机もあるのだが、みんながアイロン台として使うので、最近では教科書の代わりにスプレー式の糊《のり》や霧吹きなどが散乱している。男部屋のサッシ戸を開けたところにベランダがある。狭くはないが、ガーデニングやウッドデッキで飾り立てたくなるほど広くもない。

キッチンに戻り、建付けの悪いガラス戸を開けると、そこが十二畳のリビングになっている。南側は全面が窓で、下に旧甲州街道が走っているから多少騒音は気になるが、日当たりは良く、琴ちゃんの下着だけなら一時間で乾くらしい。たいてい琴ちゃんはここで一日を過ごす。携帯を持っているのだから、どこにいたって構わないだろうに「リビングにいる時が一番、丸山くんからの電話がかかってくる率が高い」と言って動かない（一日中そこにいれば、率も何もないと思うが……）。リビングには、非常に趣味の悪い薄紫色の合成革ソファと、ガラステーブルが置いてある。

リビングの先が、洋室十畳の女部屋になる。別に男子禁制というわけでもないし、みんなで酒を飲む時は、未来が寝転がって飲みたがることもあり、この部屋を使うことも多い。女部屋には未来が使っているセミダブルのベッドがあり、琴ちゃんはぼくと同じように床に布団を敷いて寝ている。しめて2LDK。ここにぼくら四人が暮らしている。

リビングのソファで炭酸の抜けたコーラを飲み干したぼくは、コンビニで「COSMOPOLITAN」を買ってきたことを思い出し、相変わらず眉毛を抜いている琴ちゃんに、「はい、これ」と手渡した。

琴ちゃんは、すでに同じものを買っていたらしく、興味なさそうにパラパラと雑誌を捲《めく》ると、「あ、そうだ。さっき梅崎《うめさき》って人から電話あったよ」と言った。

「梅崎先輩から？なんだって？」

「さぁ、『旅行をどうするんだ？』とかなんとか言ってたけど」

サークルの元先輩、梅崎さんから、「来週末、伊豆高原に行かないか？」と誘われていた。

なんでも、一緒に行く予定だった友人カップルにとつぜんキャンセルされ、他に誘う者もいないので、「お前、彼女でも連れてこい」という電話をもらっていたのだ。

顔を歪めて眉毛を抜く琴ちゃんに、「来週末ヒマ？」と、とりあえず尋ねてみると、「丸山くんから電話がなければね」と、予想通りの答えが返ってくる。

「それ、いつ分かんの？」

「いつって、来週末でしょ」

「来週の土曜が終わって、日曜も終わった時点で分かるってこと？」

「そう……なるかな」

「しっかし、よく平気だねぇ。そうやって、じっと彼氏からの電話を待つだけの毎日。たとえば、私って人生を無駄にしてるのかも、とか思わないわけ？」

別に琴ちゃんをどうしても伊豆高原に連れて行きたいわけではない。ただ、この辺で気づかせてやらないと、眉毛がなくなってしまいそうだったのだ。

「そりゃ思うわよ、私だって」

「へぇ、思ってるんだ？」

「そりゃそうよ。かかってくるかどうかも分からない電話、一日中ここでボォーッと待ってるんだもん」

「だよね？　案外、琴ちゃんも冷静なんだね」

「私？　もちろんよ」

冷静って怖いな、とぼくは思う。捨てたはずの女が、自分からの電話をずっと待っている。それも冷静に眉毛なんかを抜きながら……。

「じゃあ、行かない？」

「どこに？」

「あ、そうか……。だから、さっきの電話。梅崎先輩から、来週末、一緒に伊豆高原に行かないかって誘われてんの」

「ねぇ、私、その人に会ったことあったっけ？　電話で『久しぶり』なんて言われて、ちょっと焦っちゃった」

「ほら、この前、洗濯機を運んできてくれた俺の先輩」

「ああ。あのちょっと知的な感じのお兄さん？」

「そうそう。その知的な感じのお兄さんが、来週末、伊豆高原に一緒に行かないかって」

「高原？　高原で何すんの？」

「さぁ？……テニス？」

「知的な感じのお兄さんと、高原で、テニス？」

「そう。行きたくなってきた？」

「と思う？」

「思わない」

琴ちゃんは、よせばいいのにまた眉毛を抜き始めた。右と左の本数を完璧に揃《そろ》えようとでもしているかのようだった。誘うのを諦めたぼくは、買い損だった「COSMOPOLITAN」を丸めてソファから立ち、「今、ベランダに誰かの洗濯物、干してある？」と訊いた。

「空いてると思うけど……、これから洗濯すんの？」

「うん。なんか一緒に洗うもんある？」

「あるある」

そう言うと、琴ちゃんは毛抜きを握ったまま慌ててトイレへ駆け込んだ。そして男部屋へ入ろうとするぼくの手に、くしゃくしゃになった便座カバーを握らせた。

「あ、これね。ソフランとか入れないけど、いい？」

素直に便座カバーを受け取り、男部屋に入って戸を閉めると、ぼくは思い切り、そのカバーを壁に投げつけた。

1・3

汚れていく洗濯槽の水の中で、自分の下着やシャツに混じって、ピンク色の便座カバーが顔を出すのを眺めていると、なんとなく真也《しんや》のことを思い出した。

中学の頃からの同級生で高校では同じバスケット部に所属していた悦子《えつこ》から電話があり、「あ、そういえば、あんた、知ってる？　真也が死んだんだって」と教えられたのは、ちょうど一ヶ月前のことだ。悦子が電話をかけてきたのは、今度「ディズニーシー」がオープンする頃、同じくバスケット部だった典子《のりこ》や理佐《りさ》と一緒に東京へ行く予定なので、久しぶりに会いましょうよ、というお誘いで、しばらくお互いの近況報告をしたあと、「じゃあ、日程とかはっきり決まったら、また連絡するよ」と、電話が切られようとしたまさにその時、彼女の口から、「あ、そういえば……」と、真也の死を知らされたのだ。悦子の言い方が、あまりにも軽く、まるで『隣の家に塀ができたんだってねぇ』というような調子だったので、思わずぼくも、『へぇ』と答えそうになったくらいだ。悦子の話によれば、真也はバイクの単独事故で死んだらしかった。「あんた、ぜんぜん仲良くなかったもんね」と悦子に言われ、とりあえずぼくも、「まぁ、たしかに」と答えておいた。

真也は中学の同級生だった。どこの学校でもそうだと思うが、男子生徒というのは、だいたい四つのグループに分けられる。まず、教室の最前列に並ぶ頭脳明晰《めいせき》な優等生グループ、その後ろに居眠りばかりしている体育会系がいて（たぶんぼくはここにいた）、教室の廊下側には、良く言えばサブカル系、もしくは科学系おたくがたむろしており、休み時間になると、ブルース・リーやプロレスなんかの話で盛り上がる。そして最後が、日当たりの良い窓側を占領する、真也たちのような不良グループだ。

実際、学校で、真也と楽しく会話をした思い出などまったくない。ただ、お互いに飯島直《いいじまなお》子《こ》の熱烈なファンで、彼が持っていた写真集を無理やり売りつけられたことはある。ときどき繁華街などで私服の真也を見かけたが、どう見ても同時期にランドセルを背負っていた者とは思えず、どちらかと言えば、すでに一度目のお勤めを果たしてきた若き組員と言った方が的を射ていた。

そんな真也からとつぜん自宅に電話があったのは、中学三年の夏休みが終わったばかりの頃だった。「おう、元気か?」と言うので、元気もなにも昼間教室で会ってたじゃないかと思いながらも、「あ、ああ。元気」と答えた。咄嗟に、何か呼び出しを食らうようなヘマをしたただろうか？　という疑問が浮かび、やはりテレビドラマのように校舎裏とか、近所の土手なんかに呼び出されるのだろうか？　と一人勝手にいじめられっ子役を演じ始めていた。

「お前、今日ヒマか？」と真也は言った。どこか照れ臭そうな言い方だった。

「な、なんで？」

まだ呼び出し説に凝り固まっていたぼくは、とりあえずそう訊き返した。

「いやな、もしヒマなんだったら、俺んちに遊びに来ないかと思ってさ……」

真也から「遊びに来い」と言われても、正直ピンとこなかった。「遊び」というのは、不良グループ内での隠語《いんご》か何かなのかもしれない。返事もできずに口籠《くちご》もっていると、「いやな、なんていうか……、お前、今、受験勉強とかしてんだろ？」と真也が言う。

「あ、うん。一応、してるけど……」

やっと中学生らしい会話になったので、ひとまず安心してそう答えた。真也がなんのために電話をかけてきたのかはまだ分からなかったが、とりあえず校舎裏への呼び出しではなさそうだった。とにかく真也は、「ヒマなら遊びに来いよ」の一点張りで、特に断る理由もなかったぼくは、「分かったよ」と答えて電話を切ると、自転車で彼の家へ向かった。

真也の部屋に上がって、まず驚かされたのは、テーブルの上に苺《いちご》ショートと紅茶が置かれていたことだ。わざわざぼくのために用意してくれたらしいのだが、その前に座っている真也には眉毛がない。気まずい沈黙がしばらく続いたあと、真也の口から出た言葉は、苺ショート以上にぼくを驚かせた。「勉強を教えてくれないか？」真也は間違いなくそう言った。何度訊き返しても、「だから、勉強を教えてほしいんだよ」「勉強を教えてくれよ」「教えろって言ってんだよ！」と、次第に言い方は荒くなったが、その意味は変わらなかった。高校に進学したいんだ、と真也は言った。他に頼めそうな奴がいなくてさ、とも言った。

その日から、ぼくは学校が終わると週に何度か真也の家を訪ねるようになった。「絶対に他の奴には言うなよ」と口止めされていたので、クラスのみんなには内緒で通っていた。バスケット部の仲間たちは、ぼくに彼女ができたのだと噂をし、「その子は隣町の中学の子で、すげぇブスらしい」という尾ひれまでついていた。

本気で真也に勉強を教える気などなかったし、正直なところ、教える学力もなかったのだと思う。それでもぼくが真也の家に通っていたのは、彼が見かけほど悪い人間ではなく、それどころか、お互いに飯島直子のファンでもあり、話せば話すほど、気の合う奴だということが分かったからだった。ぼくは真也に誘われるたびに、喜んで彼の家へ遊びに行ったが、階下の両親に「うるさい」と怒鳴られるまで、二人で馬鹿話をするだけで、テーブルに積まれた問題集には手を触れようともしなかった。途中からは、誘われもしないのに彼の部屋に入り浸っていた。身にもならない馬鹿話に、真也も楽しそうに笑っていたし、まさか彼が、自分の将来について、そんなに真剣に考えているとは思ってもいなかった。生来のやさしさからくる人付き合いの良さが災いし、すっかり周りに後れをとってしまった自分の人生を、あの時、彼は必死に取り戻そうとしていたのだと思う。当時のぼくは、小さな寿司屋の息子の、単なる健康な中学生で、まさか自分のすぐそばで、誰かが絶望するなんて、想像もできなかったのだと思う。

結局、真也は、「どうせ受けても無駄だよ」と、志望校に願書さえ送らなかった。『受けるだけでも受けてみたら』と言いたかったが、一応、彼の家庭教師であるぼくでさえ合格するのが危ういその進学校に、その生徒である真也が受かるとはとても思えなかった。

真也は決して馬鹿ではない。たとえばもし、クラス中の誰もが家で勉強せず、塾にも行かず、学校の授業だけでテストを受ければ、おそらく彼は誰よりもいい成績を取ったのではないか、とぼくは思う。ただ、世の中そんなに甘くない。ウサギと亀の競走と同じで、亀はこつこつとがんばったからウサギに勝てたわけじゃない。こつこつと歩いている姿を、ウサギに見せなかったから勝てたのだ。

中学を卒業すると、真也との付き合いはぷっつりと切れた。最後まで内緒にしていたので、傍から見れば、なんの変化もないことだった。

最後に真也に会ったのは、高校の卒業式を翌週に控えていた頃だと思う（どうにかぼくだけは、その高校に受かっていたのだ)。偶然バスの中で彼と会った。久しぶりだったこともあり、しばらく二人で話し込んだ。「来月、東京に出るんだ」とぼくが言うと、「へぇ、すげぇな、東京の大学生かぁ」と、真也は少し羨《うらや》ましそうに呟いていた。そして、降りるバス停が近づいた時、席を立ち、乗降口に向かっていた彼が、ふと言い忘れたことを思い出したかのように立ち止まり、「おい、東京でがんばれよ。……どうせ俺はこのままチンピラだろうけどさ、東京で、俺の分までがんばれ」と言った。

悦子の電話で、真也が死んだことを知らされてからのこの一ヶ月、夜、眠ろうとすると、見てもいない事故の様子が頭を過《よぎ》ることがある。真也が真《ま》っ直《す》ぐな一本道をバイクで走っている。もしかしたら、その一本道に何か障害物があり、それを避けようとしてバランスを崩したのかもしれない。しかし彼ならば、どうにかして体勢を立て直せただろうし、転倒したとしても死ぬことはなかったんじゃないかと思う。彼は運動神経もあったし、顔も良かった。短距離なら陸上部の奴より速く走り、オールドミスの音楽教師は、彼をジェームス・ディーンに似ているとさえ言っていた。

最後にバスの中で会った時、「俺さぁ、昔、お前んちの親父さんを、騙《だま》したことあるんだよ」と、真也がとつぜん申し訳なさそうに話し始めたことを思い出す。

「ほら、俺んちの前に柳川《やながわ》ってデカい家があったろ? 小学生の頃なんだけど、俺さぁ、友達何人かと、お前んちに電話して、『三丁目の柳川ですけど、特上のにぎり四人前、すぐ届けて下さい』って頼んだことがあったんだ。そしたらさ、その日すげぇ雨が降ってたんだけど、お前の親父さん、その中をさ、雨合羽《あまがっぱ》ずぶ濡れにして、バイクに跨がってさ、顔に雨が当たって痛かったんだろうな、すげぇおっかない顔でうちの前の坂道を上ってきたわけ。俺たちはさぁ、カーテンの隙間《すきま》からそんなお前の親父さん眺めてゲラゲラ笑ってて、ぜんぜん悪いなんて思ってなくて、ただずぶ濡れのその顔が可笑《おか》しくってさ。まだガキだったんだよな。お前の親父さん、柳川って家の門の前にバイク停めると、勝手口から身を屈《かが》めて入ってくんだよ。俺ら、どんな顔して出てくんのかって待ってたんだ。どれくらいかな、しばらくしたら、お前の親父さん、何度も何度も頭下げながら、また勝手口から同じように身を屈めて出てきたよ。俺らはさ、そのまま帰ると思ってたんだ。イタズラ電話だと気づいて、すげぇ腹立てて帰ってくんだって思ってたんだ。でもさ、お前の親父さん、あのどしゃぶりの雨ん中、きょろきょろ隣近所の表札を確かめ始めたんだよ。近所に『柳川』って家がないか、ずぶ濡れになって一軒一軒、表札を確かめて歩いてくんだよ。最初はさ、俺らまだ笑ってたんだけど、そのうちに近所一周して、バイクの前まで戻って、また別の路地に入ってくだろ。もう見てらんなくてさ、誰からってわけでもねぇけど、俺たち、窓際から離れちゃって、コタツに戻ってさ、なるべく窓の外のこと考えないように、無理に違う話、始めてさ。お前の親父さん、あのあとどれくらい探し回ってたのかなぁ。すげぇ寒い日だったんだよ」

大学進学で上京する時、不安で息が詰まりそうだったぼくを、その父が空港まで送ってくれた。その時、「今どき古いかもしれんがなぁ、大学に行ったら、いい先輩を見つけろ。一生付き合っていけるような、尊敬できる先輩を見つけろ」と父が言った。「やだよ、そんなの一生使いっ走りだよ」とぼくは笑ったのだが、父は、「馬鹿だな、いい先輩に可愛がられる奴は、いい後輩に慕《した》われるんだよ」と、ぼくの頭を軽く小突いた。

梅崎先輩にこの洗濯機を運んでもらった時、「どうせくれるんだったら、もっといいの下さいよ」とぼくが憎まれ口を叩くと、「ただでもらって、その上トラックで家まで運んでやってんのに、よくそんなこと言えるな、お前は」と、先輩はいつものように笑っていた。

梅崎先輩がくれた二槽式のこの洗濯機は、脱水が始まると、その振動で、ガタガタとベランダを端から端まで移動する。水捌《みずは》けのために、床が少し排水口へ向かって傾斜しているせいかもしれない。脱水が終わる頃には、まるで首縄から逃れようとする犬のように、ピンと伸びたアースとコードが、二槽式の洗濯機を引っ張っている。

最近、真也の話を誰かにしたい、とときどき思う。彼がどんな人間で、どんな可能性を秘めていたかとか……、彼がどんな風に生きて、どんな風に死んだかとか……、彼がバスの中で、ぼくにどんな言葉をかけてくれたかとか……、そういったことを、誰かに真面目に話してみたい。ただ、今のぼくにはそれを話せる相手がいない。いくら親友でも、佐久間に話せる内容じゃない。話したところで茶化されて、「ビリヤード行こうぜ」と締められるのが落ちだろうし、逆に深刻に耳を傾けられ、真剣に意見などされたりしたら、照れ臭くてこちらの方がちょっと引く。一緒に住んでいるとはいえ、琴ちゃんや未来、直輝さんの前でも、そんなおセンチで深刻な自分は見せたくない。それに、この部屋での、この共同生活は、そういったものを持ち込まないからこそ、成立しているんじゃないか、とも思う。話したいことではなく、話してもいいことだけを話しているから、こうやってうまく暮らせているのだと。

洗濯が終わるのを待ちながら、またベランダから通りを見下ろしていた。考え事をしていたせいか、マンションの前に黒塗りのセンチュリーが停まっていることに初めて気づいた。すっかり日も暮れてしまい、外灯を反射させた黒い車体が、昆虫のように輝いている。振り返ると、いつの間にか脱水が終わっていた。

玄関の方からドタバタと騒がしい音が聞こえ、手に弁当をぶら提げた琴ちゃんが、血相を変えて男部屋に走り込んできたのは、その時だった。

「な、何？　どうしたの？」

ぼくはなぜかしら脱水槽から出したパンツを、琴ちゃんに差し出していた。琴ちゃんも相当に慌てているらしく、そのパンツをなぜかしら素直に受け取って、「き、来た。隣に、あ、あいつが来た」と、声を震わす。

「あ、あいつって誰？」

「ほら、よくテレビに出てる……」

「だから誰？」

「名前知らない。でも、ほら、静岡かどっかの代議士で、よくテレビに出てる、ほら、私が嫌いな、前の総理大臣の腰巾着《こしぎんちゃく》みたいな、ニヤニヤした、ほら……」

「誰？」

「だから名前知らない。ほら、横山ノックみたいな顔の、ほら……」

「野口良夫《のぐちよしお》？」

「そう、それ！ それが来た。隣の402号室に来た」

興奮冷めやらぬ琴ちゃんを落ち着かせ、ぼくは濡れたパンツを握ったままの彼女の背中を押してリビングへ出た。水を一口飲ませて話を聞いたところによれば、駅前で弁当を買ってきた琴ちゃんがエレベーターを降り、廊下を歩いてくると、とつぜん402号室のドアが開き、中から野口良夫らしき男が出てきたという。ぼくは、黒塗りの車がマンションの前に停まっていたことを思い出しはしたが、横山ノックの事件以来、タコを食べられなくなったという琴ちゃんをこれ以上興奮させるのもどうかと思い、「ほんとに野口良夫だったの？」と信用できないふりをした。しかし琴ちゃんは、「間違いないわよ」と体をぶるっと震わせ、「通報しましょ、通報。あんなエロダコが壁の向こうで、女の子となんかヤってるかと思うと、気持ち悪くて眠れやしないわよ」と息巻いた。

「ちょ、ちょっと待ってよ。さっきまで隣は売春宿じゃなくて、宗教活動やってるんだって言ってなかった？……それに、警察に通報するのはいいけど、ついでにこっちまで調べられて、管理会社にバレたらどうすんの？　ここ追い出されちゃうよ。一応このマンション、新婚カップル用らしいから」

「な、なんで新婚カップル用のマンションに、エロダコが出入りすんのよ！」

そう叫んだ琴ちゃんも、自分の言葉に可笑しくなったらしく、強《こわ》ばらせていた表情を少しだけ崩した。

琴ちゃんは、隣室で売春行為が行われていることではなく、隣室にエロダコが来たということだけに汚《けが》らわしさを感じているらしかった。

食欲が失せたと言って、琴ちゃんはせっかく買ってきたカラス弁当をぼくにくれた。ちなみにカラス弁当というのは、駅前の弁当屋の目玉商品で、「カラ」は「から揚げ」、「ス」が少し訛《なま》って「しょうが焼き」、要するにその二つが入った五百八十円のとてもお買い得な弁当のことだ。このしょうが焼きの味付けが絶妙で、午後八時を過ぎると、売り切れてしまうこともある。

1・4

一体どうしたというのだろうか？　伊豆高原から戻って以来、胸が苦しくて仕方がない。元はと言えば、ついて来なかった琴ちゃんが悪い。いや、琴ちゃんのせいにしたって始まらない。初めから彼女が、伊豆高原行きを断るのは分かっていたことだし、梅崎先輩に誘われたダブルデート旅行に、相手もいないくせに一人で参加してしまった自分が、やはり一番悪いのだ。もちろん電話で、「相手いないんで、遠慮しときます」と一度は断った。しかし、心やさしい梅崎先輩が、「だったら一人で来いよ。どうせ四人部屋だし、今から探したって一緒に行ける奴なんか見つからないしさ」と言ったのだ。

それにしても、「いやぁ、お邪魔だろうから」と断るのが粋《いき》な男だ。それなのにぼくは、「そうっすか。じゃあ行こうかな。どうせヒマだし」と、のこのことついていってしまったのだ。

伊豆へは梅崎先輩の車で行った。うちまで迎えに行くのが面倒だと言われ、ぼくはわざわざ西国分寺《にしこくぶんじ》まで桃子で行き、桃子を先輩の車庫に入れて、先輩のパジェロに乗り換えた。先輩のパジェロは10km走ってもエンジンが止まることはない。

同行する先輩の彼女の貴和子《きわこ》さんは、前夜から先輩の部屋に泊まっていたらしかった。いつものように、先輩のアパートの下に桃子を停め、何度か合図のクラクションを鳴らすと、普段なら先輩が顔を出すベランダに、その貴和子さんが現れた。彼女はしばらく、風に乱れる髪を押さえながら、八百屋でジャガイモでも眺めているような顔で、ぼくのことを見下ろしていた。車の窓から顔を出して、頭をペコリと下げると、貴和子さんは一瞬ビクッとし、慌てて同じように頭を下げた。とつぜんジャガイモに挨拶《あいさつ》されれば、誰だってびっくりする。彼女はときどき部屋の中へ何か話しかけているようだった。ぼくは部屋へ迎えに行った方がいいのか、それともここで待っていればいいのか分からなかった。

あの朝、先輩と一緒に駐車場へ降りてきた貴和子さんと、初めて目を合わせた瞬間から気になっていたのは確かだ。たぶん、一目惚れなんだろうと思う。ただ、なにぶん初体験なもので、あれが本当に世間で「一目惚れ」と呼ばれているものなのかどうか正直なところ分からない。もしも一目惚れというのが、その人の前に出ると妙にそわそわしたり、それどころか、早送り中のビデオ映像のように落ち着きがなくなり、その人の口から出てくる一言一言を、ちょっと異常なくらいに深読みしてしまい、たとえば、『少し散歩しない？』なんてその人から言われた場合、思わず実家に電話して、『親父、俺そろそろ身を固めようと思うんだ』などと言いかねないくらい緊張してしまうというようなことを、世間で「一目惚れ」と呼んでいるのなら、たぶん間違いなく、ぼくは愛すべき先輩の彼女に、一目惚れしてしまっている。

伊豆高原はあいにくの雨だった。予約していたテニスコートもびしょ濡れで、温泉もないコテージでは他に何もやることがなかった。屋根付きテラスで行われるという夕食のバーベキューを待つ間、ぼくら三人はコテージの周りを散歩したり、びしょ濡れのテニスコートに侵入し、傘を差したまま、濡れたテニスボールを手のひらで打って遊んだりした。というと、ぼくと先輩が雨の中を走り回り、そばで静かな笑みを浮かべた貴和子さんが、やんちゃな男たちを見守るという情景を思い描くだろうが、想像に反して、誰よりも泥だらけになって走り回っていたのが彼女だった。ぼくなどは、「ほら、あと一歩踏み込みなさいよ!」と注意までされた。

泥だらけでコテージへ戻り、夕刻、テラスでのバーベキューが終わると、ぼくらはまたやることがなくなった。交代で狭い風呂に入り、冷蔵庫に冷やしておいたシャブリを開けた。梅崎先輩はビール一杯で具志堅《ぐしけん》になる。ビールとウーロンハイでガッツ石松《いしまつ》。その上ワインまで飲んでしまうと、カルロス・リベラは軽く飛び越え、いきなりたこ八郎《はちろう》になってしまう。知ってて飲んだ彼も悪い。しかし、それを知ってて無理に飲ませたぼくも、あまり褒《ほ》められたものじゃない。案の定、先輩はすぐに潰《つぶ》れてしまい、十時には寝室で高鼾《たかいびき》をかき始めた。

使用禁止の暖炉がある居間に残されたぼくと貴和子さんは、ときどき寝室から聞こえてくる先輩の鼾に苦笑しながら、三人掛けソファの端と端とに座っていた。

貴和子さんは先輩のことを「あの人」と呼んだ。その夜、二人きりの会話の中で、彼女の口からどれくらい「あの人」という言葉が出てきたか分からない。貴和子さんが「あの人がね……」と言うたびに、ぼくも負け惜しみ半分で「梅崎先輩がさぁ……」と言い返した。せっかく二人きりで話しているのに、先輩の話ばかりしていた。まるでぽっかりと空いた三人掛けソファの真ん中に、先輩が座っているようだった。

伊豆高原から戻って、今日で一週間になる。もう考えるのはやめようと思うのだが、ふと気がつくと、二人きりで過ごしたコテージでの夜のことばかり考えている。あの時なんであ言ったのかとか、今度ああ言われたら、こう言おうとか、二度とあるはずのない状況を綿密にシミュレートしてしまう。

貴和子さんとは、たった一晩、話をしただけだが、彼女が本当に求めている男というのは、先輩のようなタイプではないんじゃないか、とぼくは思っている。よって、先輩と貴和子さんは、近いうちに必ず別れる。理由もある。なぜなら、先輩はケルアックやボリス・ヴィアンに興味がないし、『ロッキー3』なら、俺もう五回は観《み》てるよ」と平気で言う男だからだ。

貴和子さん自身そのことに気がついているんじゃないか、とも思う。そして先輩の方でもそんな自分に居心地の悪さを感じているような気がする。ただ、お互いにそれを言い出せないでいるだけだ。これはなにも、横恋慕をもくろむ者の身勝手な言い分ではない。その証拠に、洗濯機を運んでくれた時、「最近、彼女できたんでしょ？　うまくいってんですか？」と尋ねたぼくに、先輩はこんな風に答えたのだ。

「うまくいってんだけど、ただ、ちょっとなんていうか……」

「ただ、ちょっとなんすか？」

「いやな、ただちょっと、積極的っていうか、奔放《ほんぽう》っていうか……、フェラチオしたいとか平気で言うんだよな」

ぼくは今度の誕生日で二十二歳になるわけだけれども、これまでにフェラチオしたいなどと自分から言ってくる女の子に、一度も出会ったことがない。この時、先輩は貴和子さんが自分と同じ歳で（ということはぼくよりも三つ年上で）、札幌《さっぽろ》の出身で、先輩が勤める大手食品メーカーの派遣社員で、現在大学一年の弟と、世田谷代田《だいた》のマンションに暮らしているということを教えてくれた。ただ、実際に会った貴和子さんは、この時の印象（フェラチオしたがる女）とは、まったく正反対だった。

伊豆高原から戻って以来、ぼくはもう三度も梅崎先輩に電話をかけている。

「元気っすか？」

「またお前かよ」

「暇だったんで」

「なんの用だよ？」

「別に用なんかないですよ。用がないとかけちゃいけないんですか！」

先輩は無邪気に「あはは」と笑う。何かをもらえる時以外、ぼくがこれほど頻繁に電話をかけたことがあっただろうか。こんなに分かりやすい行動に出ている後輩の心理を、朴訥《ぼくとつ》な先輩はまったく理解していない。「貴和子さん、元気っすか？」と訊けば、「ああ、元気だよ。旅行から戻って以来、お前のことばっか話してるよ」と言う。先輩に悪気がない分、ひどく残酷なことをしているような気がしてしまう。

この一週間、ぼくが毎日のように思い出し、「あ〜あ」とつい深い溜息《ためいき》をついてしまうのは、どうしてあの夜、貴和子さんに何も意思表示ができなかったのだろうかと後悔するからだ。正直に言ってしまうが、あの夜ぼくには自信があった。貴和子さんも、間違いなくぼくの気持ちに気づいていたし、それを拒む気配もなかったように思われる。それなのに意気地のないぼくは、なんの意思表示もできぬまま、当たり障りのない先輩との大学時代の思い出話なんかを披露《ひろう》して、その代わりに、彼女と先輩の付き合いぶりをただ黙って聞いていた。残念ながら先輩に遠慮をしたわけではない。たとえば、あの夜、あのソファで、彼女の唇に運よくキスができたところで、自分が惨《みじ》めになるのは分かっていた。なぜなら、あそこで簡単に「好きだ」と言ってしまったら、それこそ簡単に、浮気相手として受け入れられそうだったのだ。伊豆から戻って一週間になる今でも、それを恐れているからこそ、女々しく思い悩むだけで、ぜんぜん先へ進めないでいるわけだ。

要するに、ぼくは貴和子さんの浮気相手にはなりたくない。かといって、先輩と別れてくれ、と言えるほど、彼女との間に愛の確証はない。ただ、このまま会わずにいるのは耐えられない。結局、どうすればいいのか分からない。

ふと、ドアがノックされているのに気がついた。突っ伏していた机から顔を上げると、男部屋の入口に琴ちゃんが立っている。伊豆高原に行く前は、隣の402号室で、本当は何が行われているのか、その真相を掴むために潜入捜査でもしようかと、二人でかなり盛り上がっていたのだが、伊豆高原から戻って以来、隣室のことなど、もうどうでもよくなっている。琴ちゃんにしても、エロダコさえ来なければ、結局なんてことはないのだ。

「なんか用?」

ぼくが不機嫌に尋ねると、「別に。ただ、部屋に閉じ籠もって、何やってんのかなぁと思って」と琴ちゃんが言う。

「何って、考え事だよ」

「ふ〜ん、考え事ねぇ……」

琴ちゃんは男部屋へ入ってくると、また机に突っ伏したぼくの肩を、とつぜん後ろに立って揉《も》み始めた。

「な、なんだよ！」

「いや、カラオケにでも行かないかなぁと思って」

「だから考え事してんだって！」

少し乱暴に琴ちゃんの手を払って顔を上げると、琴ちゃんがひどく困ったような顔をしていた。

「なんだよ？」

「いや、実はね、頼まれてるんだよね、直輝くんや未来に」

「何を？」

「だから、良介くんをカラオケにでも連れてって、浜田省吾《はまだしょうご》の歌でも熱唱させてやれって」

「なんで？……なんで俺にそんなことさせる？」

「なんでって……、やっぱり、ほんとなのねぇ……」

「だから、何が？」

「いや、だから、ノイローゼってやっぱり自分じゃ気づかないんだなぁって思って……」

きっと琴ちゃんは、自分のことを言っているのに違いない。『毎日、部屋に閉じ籠もって、電話が鳴るのを待ってないで、たまにはカラオケにでも行ったら』と、未来や直輝さんに忠告され、それをぼくのことだと勘違いしているのだろう。

男部屋を出ていった琴ちゃんが、「お金なら、ちゃんと預かっているから心配しないで」と叫ぶ声が聞こえた。そして、「あ、あと、その一週間ずっと着続けてる洋服、クサいから別のに替えてね。ついでにシャワーとか浴びてくれたら、もっと嬉しいんだけど」と。

1・5

きのうの夜、丸山友彦がとうとう江倉りょうに捨てられた。もちろんドラマの中での出来事だ。初めから彼女が人気俳優（こちらもモデル出身）の小沢《おざわ》としやと、縒《よ》りを戻すことくらい予想はついていたが、代官山のおしゃれなレストランで、いざサヨナラを告げられる丸山くんを見ていると、とても他人事とは思えなかった。横で一緒に見ていた琴ちゃんに、「江倉りょうって男の趣味悪いよ」と言うと、ＣＭになるのを待ってから、「江倉りょうじゃなくて、脚本家の趣味が悪いのよ」と琴ちゃんは言った。

「そうなんだよ。この脚本家の話ってリアリティないんだよな」

「若い頃モテなかったのよ。だから、いつもこんなストーリーになるんじゃない？」

ぼくと琴ちゃんは、短いCMの間に交代で素早くトイレを済ませ、再びドラマが始まった時には、同じ体勢できちんとソファに座っていた。……本当に、テレビドラマってつまらない。

「杉本くん！　す・ぎ・も・と・くん！」

背後から、とつぜん怒鳴られて我に返った。振り返ると、ホール係の綾子《あやこ》さんが、伝票をひらひらと揺らしながら、こちらを睨《にら》んでいる。

「なにぼけっとしてんのよ！　今、私が通したオーダー、ちゃんと聞いてた？」

「あ、ごめんなさい。ちょっと、きのう見たドラマのこと考えてたから……」

「もう！　なにがドラマよ！　エンチラーダ、タコスのチーズとビーンズ、あとコロナのライムが切れてる」

その時、背後の客席から声がかかり、綾子さんは、厨房《ちゅうぼう》のぼくに恐ろしい顔を向けたまま、「は〜い。今、伺いま〜す」と、まるでエクソシストの吹き替えを、大原麗子《おおはられいこ》がやっているような感じで応《こた》えた。

下北沢の小さなメキシコ料理店で、コックのバイトを始めて八ヶ月になる。もちろん最初からコックをやろうと思って面接を受けたわけじゃない。むろんオーナーの方でも、「うわぁ、ピーマンって種あるんですねぇ」なんて驚いている奴を、コックとして採用するわけもない。古着を買いに来たついでに、バイト募集の貼り紙を見て飛び込んだ。最初はウェイターや皿洗いをやっていたのだが、半月も経《た》たない頃、店で唯一のコックだった雅治《まさはる》さんが辞めてしまった。オーナーと反《そ》りが合わないのは知っていたが、なにもとつぜん辞めることはない。そのとばっちりを食ったのがぼくだ。「横で皿洗いやってたんだから、作れんだろ！」というオーナーの（食文化をナメた）命令で、急遽《きゅうきょ》ぼくが厨房に入ることになった。

翌週、やっと代わりのコックさん（先月まで中華料理店にいた！）が見つかったのだが、趣味のトライアスロンのため、週休三日（それも土日を含む）でないと働かないと言う。下北沢の街は、土曜日曜がかき入れ時だ。結局ぼくも、コックを続けさせられるはめになった。

中華料理店で修業したトライアスロンコックと、市販の料理本片手の学生が、厨房でその腕をふるう内装の可愛いメキシコ料理店には、次から次に若い客たちがやってくる。本当に、シモキタってすごい！　とぼくは思う。

最後のオーダー分を出し、厨房の後片付けを済ませると、たいてい十一時を廻ってしまう。溜《た》まったゴミをまとめて外へ出し、裏口のゴミ捨て場で普段は吸わない煙草を一服した。

店へ戻ると、髪をほどいた綾子さんが、テカテを飲みながら伝票の整理をしていた。調理服を脱ぎながら、「今日、忙しかったから、十万いってるでしょ？」と尋ねると、綾子さんは、何も言わずに首を振った。閉店間際にオーナーが顔を見せることもあるが、たいていは綾子さんが売上金を銀行の夜間金庫に預けに行く。

「アパートまで車で送りましょうか？」

着替え終わったぼくは、綾子さんの横に腰を下ろして、そう訊いた。綾子さんはロックバンドでボーカルをやる傍《かたわ》ら、この店で生活費を稼いでいる。当年とって二十九歳、本気か冗談か、バンド名を「リミット」という。

「あ、そうだ。綾子さんにちょっと訊きたいことあるんですけど」

売上金の勘定を手伝いながらそう言うと、綾子さんが少し面倒臭そうな顔でぼくを見る。

「何よ？」

「あの、たとえばですよ。綾子さんの彼氏いますよね？　その彼氏の後輩から『好きだ』って告白されたら、どうします？」

「どうしますって何よ？」

「いや、だから迷惑だとか、嬉しいとか」

「その後輩ってのは、根性あんの？」

「根性？……どっちかっていうとない方かな」

「じゃあ、迷惑」

「だから、『好きだ』なんて言われたら迷惑」

「え？」

「じゃ、じゃあ、もし根性があったとしたら？」

「そうねぇ……、そいつ、ザ・フーとか、キンクスとか聴く？」

「いや、聴かないと思いますけど」

「じゃあ、ピストルズとか、クラッシュとか、そっち系？」

綾子さんがボーカルを務めるバンドの名前は、冗談ではなく、本気で「リミット」なのだとぼくは思う。

店を出て、駅の反対側にあるアパートまで綾子さんを送り、環七《かんなな》へと引き返した。本来なら裏道を笹塚に抜けて甲州街道へ出るのが一番早いのだが、ここ数日はわざわざ混んだ環七回りで帰っている。環七から少し路地を入った場所に、貴和子さんが弟と暮らすマンションがある。先輩の話では1ＬＤＫの間取りで、寝室を貴和子さんが使い、弟はリビングのソファで寝ているらしい。彼女たちの部屋の灯りがついていることは滅多にない。というか、ぼくがバイト帰りに寄って、その窓を見上げるようになって以来、まだ灯りがついているところを見たことがない。先輩の話では、貴和子さんの弟は千葉の柏市に住む恋人のアパートに入り浸りで、ほとんど部屋に戻らないらしい。弟がそうなら、ぼくがこうやってせつない気持ちでマンションの窓を見上げている今夜、その姉である貴和子さんが梅崎先輩の部屋にいないとも限らない。

桃子をマンションの裏に停めたぼくは、車を降りてエントランスへ回った。オートロックの玄関には、テレビモニター付きのインターホンがついている。しばらく通り向かいの自動販売機の前で、煙草をふかして待っていると、サラリーマン風の男が、酔っているのか、ふらふらしながらマンションへ入っていく。男がちょうど暗証番号を押し終わり、自動ドアが開いた瞬間、ぼくはたまたまタイミングよくやってきたような顔をして、その男のあとから中へ入った。男は一階の住人らしく、エレベーターには乗らず、廊下を奥へと進んでいった。その背中を見送っていると、男がとつぜん振り返ったので、ぼくは慌ててぺこっと頭を下げた。男は「フン」と鼻で笑い、また千鳥足《ちどりあし》で歩き始めた。

エレベーターで三階へ上がった。ここまでなら、この前も来た。ただ、その時はエレベーターを降りられず、そのまま引き返してしまったのだが。一回目がマンションの前まで、二回目がマンション入口の郵便ポストに触れるまで、そして三回目がたまたま中から出てきた女の人のお陰でエントランスまで入り、四回目でやっとエレベーターに乗り込んだ。そして今夜が五回目、ぼくはとうとう貴和子さんの部屋のドアの前に立っている。

ドアには「松園浩志・貴和子」と、まるで夫婦のような表札がかけられていた。玄関ドアに耳を当ててみたが、中に人のいる気配はない。

きのうの夜、女部屋ですでに布団に入っていた琴ちゃんの枕元に正座して、「実は俺、バイト帰りに毎日、その人のマンションの周りを徘徊《はいかい》してるんだ」と苦しい胸の内を告白した。琴ちゃんはかなり眠そうだったが、「やだ、それって変質者じゃない」と珍しくまともな感想を述べてくれた。

「やっぱ、そう思う？」

「自分で自覚しなきゃ」

「どんな自覚？」

「だから変質者としての」

ぼくに変質者としての自覚を持たせてどうするつもりなのだろうか。とりあえずぼくは話を先に進めることにした。

「俺さ、マジで好きみたいなんだよね、その人のこと」

「好きなの？　好きみたいなの？」

琴ちゃんはいちいちヘンなところに絡んでくる。

「だから、『みたい』ってのは、照れだよ」とぼくは言い返した。

「良介くんって単純そうで、案外ややこしいのね」と琴ちゃんが言う。

「俺、単純そう？」

「だって未来とか直輝くんがそう言うもん。……ま、それはいいんだけど。とにかく、マンションの周りなんかうろうろしてないで、きちんと玄関のチャイム押して告白すれば？」

「なんて？」

「だから、『俺、あなたのことが好きみたいなんです。この「みたい」っていうのは照れなんです』って」

「告白ねぇ……。やっぱ無理だよ。だって先輩の彼女なんだよ」

ぼくが力なくそう呟くと、琴ちゃんは、「だったら、無理なんじゃない」と言って、さっさと寝返りを打ってしまった。

琴ちゃんは恋愛相談のなんたるかを、その基礎の基礎さえ分かっていない。恋愛相談で、相手に本当のことを言うなんて許しがたい違反行為だ。その時、横のベッドで寝ていた未来に、「ちょっとぉ、暗闇でコソコソ話すのやめてくれない。余計気になっちゃうのよねぇ」と文句を言われた。

ぼくはそんな未来の小言を無視して、「その人に好意を持たれてる自信はあるんだよ。ただささ、それが浮気相手としての好意かもしれないんだよねぇ」とまた話し始めた。

「訊いてみたら？」と琴ちゃんが眠そうな声で言う。

「なんて?」

「だから……」

そこまで聞こえたところで、ベッドから枕が飛んできた。

「あんたたちと違って、私は明日も朝から仕事なのよ!」

未来に怒鳴られ、ぼくは素直に女部屋を出た。閉めた扉の向こうから、「まったく、あんたたちって、ほんと色恋にしか興味ないのね」と呆《あき》れる未来の声が聞こえた。

五度目の訪問で、やっと貴和子さんの部屋の玄関ドアにへばりつき、覗き穴に指を突っ込んだりしていると、背後でエレベーターが開く音がした。慌てて振り返ると、そこに、なんと貴和子さんが立っていた。「あ」と顔に書いてあるようだった。じっとこちらを見ている貴和子さんの視線が、ぼくの顔から肩へ、肩から覗き穴に突っ込んだ指へと動く。

「ど、どうしたの?」と彼女が言った。

「ど、どうしたのって……」とぼくは答えた。

貴和子さんはゆっくりとこちらへ歩いてきた。旅行の時とまるで印象が違うのは、スーツを着ているせいらしかった。

「まだ弟も帰ってないでしょ?」

「あ、ええ、まだ……」

「うちに来たんだよね？」

「あ、いや、そうなんだけど……」

「ねぇ、どうしたのよ？」

「いや、ちょっと近所まで来たもんだから……」

万が一鉢合わせした時、これだけは言うまいと心に決めていた科白《せりふ》だった。貴和子さんは、笑いながらぼくの前で鍵を開けた。部屋の中で電話が鳴っているようだった。

1・6

ぼくは今、本館534大教室の最後列に座り、何も書かれていない黒板を、かれこれ三十分も見つめている。教室には他に誰もいない。教室全体が黒板へ向かって傾斜しているせいで、座っている最後列から眺めると、整然と並んだ長机の大きな波が、教壇へ押し寄せているように見える。この木目調のビッグウェイブの頂点で、ぼくはうまく波を乗りこなしているのだろうか。

息子を東京の私立大学へ進学させるにあたって、うちの両親はかなり無理をしたのだと思う。子供の頃、母がよくこんなことを言っていた。「寿司屋っていうのは、もちろん立派な職業よ。でもね、お父さんはあんたに寿司屋を継いでもらうより、うちみたいな立派な寿司屋の、いいお客になってほしいのよ」と。東京では、まだ一度も寿司屋へ入ったことがない。

もちろん回転寿司など、寿司のうちに入らない。

やはり女は男よりも現実的にできているのだと思う。当初、ぼくが東京の私立大学に行くことに、母は強く反対していた。もちろん、一人息子を手元に置いておきたいという女親らしい愛情もあったのだろうが、母はぼくが集めてきた大学案内の資料や、東京生活のマニュアル本などを丁寧に読み、さて我が息子が東京へ出るとして、一体どれくらいの金が必要なのかと、正確に見積もり始めたのだ。もちろん寿司屋の女房だから、多少は膨らんだ料金になる。

母にその金額を告げられて、正直ぼくも半分は諦めかけていた。受験料だけ計算してみても、どちらかと言えば「下手な鉄砲、数撃ちゃ当たる」方式で臨むわけで、その金額はぼくの不安定な学力と反比例して雪ダルマ式に膨らんでいく。多くの大学を受ければ、それだけ宿泊日数も長くなるし、たとえどうにか合格できたとしても、早速、入学金・授業料の支払いがあり、次にアパートの敷金・礼金と出ていく金に歯止めが利《き》かない。思わずぼくは、母に示された金額の分だけ、中トロを握っている父の姿を想像してしまった。

難攻不落かと思えた母の気持ちを一変させたのは、父の何気ない一言だった。父は、「あいつが行きたいんなら、東京でもどこでも行かせりゃいいんだよ」と言ったらしい。もちろん母は、「そう言いますけどねぇ」と、泣く子も黙る見積もり書を提示した。しかし父は、それを見ようともせず、「いいか、ちょっとお前のこと考えてみろ。友達はみんな、この九州の田舎もんばっかりだろ？」と言った。

「そりゃそうよ。みんな中学や高校ん時の同級生だもん」

「だろ？　俺だってそうだよ。だったらよ、良介には東京に出て、もっといろんな人と知り合いになってほしいじゃねえか。だろ？　たとえばよ、土佐で鰹《かつお》の一本釣りやってる男の息子だとか、京都の老舗《しにせ》料亭の息子だとか、北海道で酪農やってる人の娘さんでもいいよ。そんないろんな知り合いが良介にできるって、なんかいいじゃねぇか」

母は黙って聞いていたという。聞きながら、上京するぼくに何を持たせてやるか、ぼんやりと考え始めていたという。父は最後にこんなことも言ったらしい。

「女親と違ってよぉ、男親が息子にしてやれることっていったら、そのケツ蹴って、外へおっ放《ぽ》り出してやることぐらいしかないんだよ」と。

ぼんやりと見つめていた黒板横のドアが開いて、男子学生が顔を出した。男は大教室の最後列に座るぼくを見つけると、「あれ、マーケティング論、ここじゃないの？」とデカい声で訊いてきた。ぼくは、「違う」と叫び返した。男の顔には見覚えがあった。前に学食で隣り合わせ、読み終わった「スピリッツ」をくれた奴だった。「なんだよ、違うのかよ」と言いながら、教室を出ていこうとするその男に、ぼくは、「なぁ」と慌てて声をかけた。男が、「ん?」と面倒臭そうに振り返る。

「あのさ、とつぜんで悪いんだけど、お前の親父さんって何やってる人?」

そう尋ねたぼくの声が、大教室に反響していた。

「俺の親父?」

「そう」

「なんで?」

「別に理由はないんだけど……」

「公務員だよ。公務員」

「どこで?」

「石川県の金沢」

そう答えると、男は首を傾《かし》げながら、教室を出ていった。……お父さん、とりあえず金沢の公務員の息子は確保しました。

腕時計を見ると、まだバイトまで時間があった。桃子に乗って都内をドライブしてもよかったが、ここ数日、どうも桃子を運転していると、気持ちが暗い方へ暗い方へいってしまう。

もちろん原因は、バイト帰りのストーカー行為中に鉢合わせしてしまい、あわあわと言っている間に、貴和子さんの部屋へお邪魔してしまった先日のことを思い出してしまうからだ。

玄関を開けた時に鳴っていた電話は、なんと梅崎先輩からのものだった。ぼくは貴和子さんに背中を押されて、すでに部屋へ上がり込んでいた。梅崎先輩と電話で話しながら、「そこに座って」「冷蔵庫に飲み物あるよ」などと指示する貴和子さんの指に操られつつ、ぼくは先輩との電話が終わるのを、じっとそばで待っていた。

貴和子さんが受話器を置いた時、ぼくはある重大なことに気がついた。目の前のソファに、借りてきた、というよりも、又借りの又借りくらいされてきた猫のように座っているぼくがいたにもかかわらず、貴和子さんはそのことを梅崎先輩に伝えなかったのだ。『ほらな、脈はあるんだよ、脈は』と、ぼくが思っても間違いじゃない。

「俺がいること、言わなかったね」と、ぼくは彼女の目を見ずに言った。貴和子さんは、コンビニの袋からsunkistのグレープフルーツジュースを取り出しながら、「言ってほしかった？」と意味ありげな視線を投げかけてきた。

「別に言っても構わないんじゃないかな。だってほら、お互いの共通の知り合いなんだし、それにほら、別に隠すようなことがあるわけでもないし……」

貴和子さんはぼくの言葉を完全に無視して、袋から出したジュースや果物を冷蔵庫に入れる作業に没頭していた。

リビングのソファには、弟が使っているらしい男物の整髪料の匂いがする枕と、くしゃくしゃになった毛布が積まれていた。白い扉の奥が、貴和子さんの寝室らしく、少しだけ開いた扉の隙間から、化粧品の並んだ棚が見え、前に未来から薦められて観たことのある「サム★サフィ」というフランス映画のポスターが、額に入れられ立て掛けてあった。

「あ、そうだ。今、梅崎くんが電話でねぇ、『良介によろしく言っといてくれ』って」

「へ?」

ぼくは思わずソファから立ち上がった。貴和子さんが、「嘘よ、嘘」と笑いながら、台所から出てくる。

「知ってるわけないでしょ」

「だ、だよね」

貴和子さんと一緒だと、どうも年下男の可愛らしさを演じてしまう傾向があるらしく、あとで思い返すと必ず吐きそうになる。元が可愛らしくないのだから、化けようったって、そうは問屋が卸《おろ》さない。ただ、分かってはいるが、どうも彼女の無邪気な嘘に騙されたりすると、今みたいに思わずソファから立ち上がってしまうような、過剰な少年っぽさを演じてしまうのだ。

先に結論から言うと、この夜、ぼくは貴和子さんとベッドを共にした。二人でビールを飲み、お互いに梅崎先輩の話をしたあと、眠くなって奥の寝室へ入るのは、たとえば、うちへ帰れば必ず琴ちゃんがリビングで枝毛を切っているとか、桃子に乗れば必ず10㎞地点でエンストするとか、そういった日頃の生活同様、とても自然なことに思えた。

琴ちゃんや未来、近くにいる女がどちらかといえばエキセントリックな方なので、より一層そう感じるのかもしれないが、貴和子さんと話をしていると、なんだかとても穏やかな気持ちになる。きっと彼女が北海道出身だからだと、勝手に決めつけているのだが、考えてみれば、同じ北海道出身でもバイト先のオーナーのように、バターとんこつラーメンのような人間もいる。

とにかく、ぼくは貴和子さんの声が好きだ。ベッドの中で、お互いの体を重ねた時、貴和子さんって小さいんだなぁと思った。抱きすくめてしまえるほど小さな貴和子さんが、ぼくの胸元で何か呟く。たとえばそれが、「願いましてぇは、一円也、一円也《なり》……」であろうと、ぼくの胸にかかる息は熱く、やさしく首筋へ上がってくる。実際この「願いましてぇ」というのは、「ねぇ、そこでなんか喋ってみてよ」とぼくが頼んだ時に、貴和子さんが笑いながら言ってくれた科白だ。

貴和子さんは、「ねぇ、ちょっと考えてみて。先輩の彼女と平気で寝る男と、彼氏の後輩と平気で寝る女の恋愛映画のストーリー」なんてことを、どういうつもりか平気で口にしたりする。もちろんぼくは、ただうろたえるだけで気の利いた返事などできやしない。

「良介くん、もう眠い？」

「え？　なんで？」

「別に、ただもう眠いかなぁと思って」

「寝ようと思えば眠れるよ。俺、目閉じたら五秒で眠れちゃうから」

その場の空気をどのくらい読み取れるかで、現代社会のヒエラルキーが決定されるのだとしたら、ぼくはきっと最下層、搾取《さくしゅ》に搾取を重ねられ、人間的尊厳など微塵《みじん》も与えられないクラスに違いない。

翌朝、目を覚ますと、ベッドに貴和子さんがいなかった。壁との隙間に落ちていたパンツを穿《は》き、リビングへ出ると、見知らぬ若い男がそこでトーストにバターを塗っていた。そして、パンツ一枚の姿でリビングへ出ようか、それともあと戻りしようかと迷っているぼくを、やけに無愛想に睨みつける。その時、台所から両手にコーヒーカップを持った貴和子さんが現れた。

「おはよ」

貴和子さんは、いかにも朝に打ってつけの笑顔で微笑《ほほえ》むと、カップをその若い男の前に置き、「これね、朝帰りした私の弟。姉が男を連れ込んでて機嫌悪いみたい」と笑った。

ぼくは、目玉焼きを挟んだトーストを口に押し込む弟に、とりあえず頭を下げた。こちらが好意を示せば、相手もある程度の好意は示す。ぼくを睨んでいた弟の目から、とりあえず殺意だけは消えた。しばらく迷った末に、ぼくはパンツ姿のままでリビングに出た。昨夜、ベッドを共にした仲だし、と思い、最初貴和子さんの横に座ろうとしたのだが、前にいる弟からの冷たい視線を感じた。弟というものは、姉に対する何かしら特別な感情を持っているらしい。ヘンに気を遣ったせいで、ぼくはその弟の横に腰を下ろしてしまうという、ますますヘンな状況を作ってしまった。もちろん、弟は自分の横に座ろうとするぼくを、一層冷たい目で睨んだ。肩を寄せ合って座る愛人と弟を、貴和子さんが不思議そうに見ていた。

自分でも何がなんだか訳が分からなくなってくるのは、このあとからだ。弟の横に座ったぼくは、貴和子さんが焼いてくれたトーストにたっぷりとバターを塗り、おまけに苺ジャムまで載せて口に運んだ。冷たいオレンジジュースを、渇いた喉《のど》に流し込んだ。目の前で貴和子さんが熱いコーヒーをゆっくりと啜り、横では弟が黙々とトーストを齧《かじ》っていた。その時だ。

「りょ、良介くん、な、泣いてる？」

とつぜん貴和子さんにそう言われるまで、ぼくは自分が泣いていることに気づかなかった。彼女の声に、横で弟も動転していた。

「こいつ、な、なんで泣いてんだよ！」

「ど、どうしたのよ？」

明らかに、二人は気味悪がっていたのだと思う。気持ちのいい朝、少し焦げたトーストにバターを塗って、熱いコーヒーが並ぶ食卓で、パンツ姿の若い男が、とつぜん意味もなく泣き出したのだ。

「あ、ご、ごめん」

なんで流れてくるのか分からない涙を、ぼくは必死に止めようとした。しかし、しょっぱい涙が、ボロボロと鼻の横を伝ってトーストを噛《か》む口に流れる。

「あ、あれぇ、お、おかしいなぁ……」

何気ない声を出そうとすればするほど、その声は悲痛な涙声になり、今にもしゃくり上げそうだった。貴和子さんは慌ててティッシュをぼくに渡した。弟は口をあんぐりと開け、逃げ腰になってぼくを見ていた。

あの朝、貴和子さんに焼いてもらったトーストを食べながら、ぼくはなぜかしら父の顔を思い浮かべていた。それは仕込みをする父の姿で、店には酢めしの匂いが漂っていた。次に浮かんできたのが真也の顔だった。「東京で、俺の分までがんばれ」とぼくの肩を叩き、軽く手を振ってバスを降りていく彼の姿だ。ぼくはオレンジジュースを飲みながら、必死にその光景を頭から振り払った。すると今度は、洗濯機を運んでくれる梅崎先輩の顔が浮かんだ。

「俺がソファに座ってテレビなんか見てると、貴和子が俺の足の間にしゃがむんだよ。で、俺がさ、『こうやってんのが一番いいよ』って言ったら、『私も』って貴和子が答えるんだ」

持ちにくい洗濯機を抱えた先輩が、照れ臭そうに笑っていた。

とつぜんぼくは、昨夜ベッドの中で交わした貴和子さんとの会話を思い出した。まだお互いに火照《ほて》った体で、ぼくは貴和子さんを抱きしめていた。

「こうやってんのが一番気持ちいいよ」

そう言うと、貴和子さんはぼくの胸に息を吐きかけるように、「私も」と言ってくれたのだ。

呆然《ぼうぜん》とする姉弟の前で、ぼくはまだ泣いていた。涙が溢《あふ》れて止まらなかった。まるで自分とは完全に切り離されたもう一人の自分が、当のぼくを無視して、勝手に泣いているようだった。

大垣内琴美（23歳）無職

2・1

「笑っていいとも！」ってやっぱりすごいと私は思う。一時間も見ていたのに、テレビを消した途端、誰が何を喋り、何をやっていたのか、まったく思い出せなくなってしまう。「実にならない」っていうのは、きっとこういうことなんだ。

テレビを消して、お昼は何を食べようかしらなんて考えていると、男部屋から良介くんが出てきた。寝惚《ねぼ》け顔で、パンツに手を突っ込み、髪にはこれでもかと寝癖がついている。良介くんはかなり寝相が悪いらしい。もしも部屋に壁がなかったら、一晩で駅前辺りまで平気で転がっていくよと、同じ部屋で寝ている直輝くんが言っていた。

「良介くん、お昼、何食べるの？」

冷蔵庫から取り出した牛乳を、一度臭《にお》いを嗅《か》いでから飲み始めた良介くんに、私は尋ねた。

良介くんは、手で「待て」と合図しながら、喉を伸ばして牛乳を飲み干した。

「琴ちゃんは？」

　げっぷ混じりに訊かれた私は、牛乳で白くなった良介くんの口元をしばらく見つめたあと、

「ケンタッキーにでも行く？」と逆に尋ね返した。

「ケンタッキーかぁ……。あ、そうだ。琴ちゃんが行ってる美容室の前に新しいそば屋ができたの知ってる？　あそこ行ってみない？」

　そう言うと、良介くんはまたパンツの中に右手を突っ込み、ボリボリとどこかしらを掻きながら、トイレの中へ姿を消した。現在、梅崎という先輩の彼女に「片思い中」のはずだが、ここ数日、さっぱりその話をしない。この前、珍しく外泊してきた良介くんに、「どこに泊まったの？」と尋ねると、「彼女の部屋だよ」と答えるには答えたが、初めてのお泊まりにしては、あまり嬉しそうじゃなかったし、もしかすると、すでに失恋してしまったのかもしれない。どちらにしろ、彼みたいな学生さんの「淡い恋」になど、私はまったく興味がない。もしもまだ、友情と愛情の板挟みで悩んでいるのだとしても、あれだけの寝癖がつくくらい眠れるのだ、心配することもないと思う。

　このマンションで暮らすようになって五ヶ月、初めて会った時から感じていたが、良介くんにはなぜかしら、ひらがなの「ふ」という文字がよく似合う。特に撫《な》で肩というわけでもない

し、顔に「ふ」と書いてあるわけでもない。ただ、良介くんを見ていると、なぜかしら「ふ」という文字が浮かんでしまう。「不安定」の「ふ」？　不機嫌の「ふ」？　不思議の「ふ」？　なんか違う。ふ、ふ、ふ……。ふぬけの「ふ」？　ちょっと近づいてきたような気がする。ちょうど良介くんがトイレから出てきたので、「ねぇ、『ふぬけ』の『ふ』って、なんの『ふ』だっけ？」と訊いてみた。

良介くんは手も洗わずにテーブルのクッキーを抓むと、「ふぬけの『ふ』？　臓物とか、内臓のことなんじゃない？」と言って、そのクッキーを頬張った。私は空洞になった良介くんの体を想像してみた。嚙み砕かれたクッキーが、フォーリングスノーのように、ハラハラと体の中を舞い落ちる。

良介くんは夕方からのバイトまで、なんの予定もないらしい。ボソボソとクッキーを齧りながら、私が断腸の思いでやっと消したテレビ（朝のワイドショーから、なんだかんだで「笑っていいとも！」まで見続けていた）をまたつける。すでに昼のワイドショーが始まっていて、大和田獏《おおわだばく》ののっぺりした顔が一瞬映る。しかし、最近、良介くんがテレビをつけると、すぐにザッピングが起きる。良介くんが、「まただよ」と呟きながら、左側面を叩こうとするので、「あ、そっちじゃなくて、右側を三回」と、私は慌てて教えてあげた。良介くんは指示通りに右側を三回叩いた。しかし、乱れた画面に変化はない。

「直んないよ」

「叩き方がやさしすぎるのよ。強く、強く、弱く。もっと憎しみ込めて叩かなきゃ」

「テレビに憎しみなんか持てないよ。ちょっと琴ちゃん、代わりにやってよ」

「嫌よ。せっかく消したのに」

そんなことを言い合っている間に、自然とテレビ画像が元に戻った。良介くんが、手元のリモコンでチャンネルを替え、「今日の『徹子の部屋』ゲスト誰？」と訊く。

「ねぇ、夕方まで何してんの？」

テレビをつけるだけつけて、また男部屋へ戻ろうとする良介くんにそう尋ねると、「桃子の洗車だよ」と嬉しそうに答えた。車を洗って喜べる男の子って羨ましいと私は思う。きっとなんにも悩みなんてないんだろうなぁ、あまりにもなさすぎて、自分から探し回っているんだろうなぁと思う。テレビでは上沼恵美子がおいしそうな若鶏の香草焼きを作っている。

実家の両親には、彼ら（良介くんや直輝くん）がこの部屋に住んでいることは内緒にしている。別に疾《やま》しいことはないのだが、せっかく常識ある娘に育てたと自負している彼らに、わざわざ現実を突きつける必要もない。実際、良介くんや直輝くんとは疾しいどころか、逆に何もなさすぎて疾しくなるくらい何もない。もちろんここで暮らし始めたばかりの頃は、私の胸を見る何気ない良介くんの視線に、熱い矢のような鋭さを感じたこともあったが、的を外れている矢は、射的屋《しゃてきや》のおばさんを見習って、とっとと抜き取り、さっさとお客さんに返せばいい。お客さんだって馬鹿じゃないから、すぐに矢が抜き取られれば、自分が的を外したのだと理解する。それなのに、世の中にはいつまでもその矢を刺したままにしておく女が多い。だから、お客さんの方も景品が出てくるのを待ってしまい、あらぬ問題が起こるのだ。この世の中、やる気のない射的屋のおばさんが多すぎる。胸に無数の矢を刺したまま、「私、どうしても男友達ができないのよ」なんて女が、ほろ酔い加減の温泉客から、金を毟《むし》り取っている。

おそらく、同居している未来が、その手の女ではないから、私はここでこうやって暮らしていられるのだと思う。もちろん、良介くんや直輝くんが警官や公務員のように温泉場の宴会で羽目を外したがるタイプの客じゃないことも一因としてある。

私がここで暮らし始めたのは、とつぜん……、そう、とつぜん雷に打たれたみたいに……、いや、とつぜんお尻を犬に嚙まれたみたいに……、いや……、とにかく、五ヶ月前のある晩、いつものように踊っていた行きつけのクラブのフロアで、とつぜん音楽が止まって照明がついて、ふと見ると目の前で踊っていた男の子が汗だくで、同じように私も汗だくで、「すいません、スピーカーの故障です。ちょっと待って下さい」という慌てた声がDJブースから聞こえて、周りで「どっ」と笑い声と文句が同時に起こって、ふらふらとみんながバーカウンターへ向かっていて、目の前の汗だくの男の子に、「なんか飲む？」と訊かれた瞬間、ほんとにとつぜんのことなんだけど、私ってもしかしたら何に対しても興味がないのかもしれないと悟ったからだ。

別に汗だくの男の子のこととか、飲みたいものがないとか、そんな目先のことだけじゃなくて、たとえば地元の女子高で数学を教えてるお父さんが仕事に、お母さんが毎日の家事に、妹がバレー部の練習に、もう一人の妹がＳＭＡＰの香取慎吾《かとりしんご》に、抱く程度の興味でもいいんだけど、その程度の興味ですら私は何に対しても抱いていないと気がついた。正直なところ、私はぽつんと一人立ち尽くしたダンスフロアで、びっくりしたのだと思う。そんな虚《むな》しい生活を送っていたことを、頼みもしないのに、とつぜんこんな場所で気づかされて、すっかり気が動転してしまい、心底びっくりしたのだと思う。

短大を卒業して、すんなり入れた医薬品メーカーの支社でＯＬなんかやっていたから、月末にはちゃんとお給料が振り込まれて、たぶん心のどこかになんか虚しいような寂しいような感じはあったのかもしれないけど、お給料が入れば友達とおいしいフレンチレストランに行ったり、ティファニーで指輪を買ったりもして、もちろんそんな卑小な悦《よろこ》びに満足していたわけじゃないけど、たまに本屋へ行けば『それでいいんだ。今を楽しめ』なんて本が平積みされてあって、「ああ、やっぱりいいのか」なんて思い込んでいたんだと思う。

自分が何に対しても興味を持っていないと知ってしまったことは、私にとってはけっこうタフな出来事で、かといってすぐに興味の持てそうなものが思いつくわけでもないし、慌てて考えてみたところで、たとえば、外国語を習得するとか、いっそローマ辺りに留学してみようかとか、いやもっと現実的に手近な男と海外で挙式でもしようかとか、浮かんでくるのは、興味が持てそうなことじゃなくて、興味を持ったらきっと周りが羨ましがるだろうなってことばかりだった。これでも一応、高校の頃には男子生徒が主催する美人コンテストで毎年一位だったりして、かといって女の子に嫌われるようなタイプでもなくて、「琴美はいいよぉ。美人だし性格いいし」なんて、ちょっと照れちゃうようなことを、ちゃんと酔っ払う前に言ってくれる女友達もいて、「やだぁ、お礼なんか何も出ないわよぉ」なんて言い返せる自分に、それなりに満足もしていた。

それがとつぜん、スピーカーの故障で照明のついたダンスフロアで、『お前には苦しみがない。その代わり本当の喜びもない』みたいな、悪魔のなんだか、天使のなんだか、よく分からないような声が聞こえてしまった。

「どうしたの?」って、目の前に立った汗だくの男の子に言われて、私は思わず、「いやよ!」と叫び返していた。もちろん「どうしたの?」に対する言葉じゃなくて、『苦しみはないけど、喜びも』って声に対する返事だ。

男の子は、『俺、なんか気に障ること言った？』って顔で、私を見ていた。その時ふと、私は「あ、そうだ！」とあることを思いついた。そしてすぐに、「ねぇ、あなたのお兄さん、明日トラックで東京に行くって言ってたよね？」と、ついさっきナンパしてきたその男の子に訊いたのだ。

「う、うん、そんなこと言ってたけど……」

「ねぇ、私も乗せてってもらえないかな？」

「東京に？」

「そう。東京に」

「行ってどうすんの？」

「苦しむのよ」

「は？　苦しむ？」

「そう。苦しむの」

その男の子は首を傾げながらも、一応お兄さんに連絡を取ってくれた。ただ、その後一切、私のそばへは寄りつかなかった。

東京に行ってやることは決めていた。というよりも、これまでの人生で唯一苦しめられたのが、丸山友彦との恋だった。

丸山くんとは、短大に入ってすぐのコンパで知り合った。恥ずかしいくらいありふれた出会いだ。もちろん五人中五人の女の子が、彼を第一志望にしていた。自分で言うといやらしいが（でも思ってて言わなければ、もっといやらしいので言っちゃうが）、たぶん男の子たちの何人かは、私に興味を（はい、言います。たぶん男の子たちは全員）私に興味を示していたと思う。ただ、私にはカマトトぶって、あとでぬけがけするという芸当も、一番人気の女然として、ツンとおすましするという芸当もできないので、初めから積極的にガンガン（周りの男の子たちが少し引くくらい）丸山くんに攻め込んでいった。どうせ会計は割り勘なんだし、一番人気の女にだって、露骨に自己アピールする権利はある。

丸山くんから電話をもらったのは、そのコンパの翌日だった。男女同席の飲み会は、軽く二次会に流れてお開きになったのだが、そのあと女の子たちだけで三次会、果ては四次会の大カラオケ大会にまで発展していた。ボンベイサファイアで胃を、森高千里《もりたかちさと》で喉を痛めつけ、へべれけになって家へ戻ったのが朝の五時、丸山くんから電話がかかってきたのは、その四時間後の、まだ午前九時前のことだった。

二次会の店へ向かう途中、みんながコンビニでカメラやガムを買っているのを待つ間、私は店の外で丸山くんと二人っきりになった。

「やっぱり、人の歯とか気になる？」

私は何気なくそう訊いた。狙《ねら》っていた丸山くんに脈ナシと見ても、その夜に限って他の女の子たちの門限が早まらないのは、そこにいた男の子たち全員が、将来の歯医者さんだったからだ。

私の何気ない質問に、丸山くんは一瞬言葉を選んだように見えた。そして、「あの、ゴメン。俺、違うんだ。俺、ホームセンターで働いてんだ」と言った。

中学の頃から恋愛ドラマを見続けてきてよかったと、この時ばかりはつくづく感謝した。なぜなら、「謝ることないよ。私なんか、ただの短大生なんだから」って言葉が、まるで科白のように口から出たのだ。夜空には満月、夜道に佇《たたず》む私と彼。今にもミリオンセラー間違いなしの甘いドラマ主題歌が流れてきそうだった。

「あ、でもあいつらは全員、本物だよ。本物の歯医者の卵」

丸山くんは慌ててそう付け加えた。

「俺、断ったんだけど、健吾《けんご》の奴が、健吾ってほら、眼鏡かけてる奴、あれ、俺の幼馴染《おさななじみ》なんだけど、あいつに『いいから来い』って無理やり連れてこられちゃって」

「だって自己紹介の時、『みんな大学のクラスメイトだ』って言ったの、その健吾くんじゃない？」

「だよね？　バレたら俺が恥かいちゃうのにね。とにかくゴメン」

『俺らは無邪気な永遠の少年さ』なんて顔をしておきながら、男って実は相当に嫉妬《しっと》深いのかもしれない。

翌日の丸山くんからの電話は、ひどい二日酔いで何を話したのか覚えていない。ただ、ちゃっかり次に会う約束だけはしたらしく、ぐったりと倒れ込んだベッドの中でも、『土曜日7時・市民会館前』と書いたメモを、私は握り締めていた。

丸山くんと街を歩いていると、女の子がけっこう露骨にすれ違う男を品定めすることに気がついた。まず丸山くんを見て、次に腕を組む私を見て、また彼に視線を戻す。丸山くんと付き合ったお陰で、私は生まれて初めて、男の顔に見惚《みと》れて、手をぶるぶると震わせてしまうマクドナルドの店員というものを見た。たしかに丸山くんは、「持ち帰りで」と言いはしたが、持ち帰りたいのはあなたではなく、バニラシェイクの方なのよ、とつい言ってあげたくなるほどだった。

「丸山くんってモテるでしょ?」

店を出て、私は思わずそう言った。丸山くんは、「琴ちゃんだってモテるだろ?」と、なかなか嬉しいことを言ってくれた。自分たちが、次第に嫌味なカップルになりつつあることを自覚しながらも、交互に舐《な》めるバニラシェイクはおいしかった。

昼頃、寝癖をつけて起きてきた良介くんと二人で、駅前に新しくできたそば屋へ行った。開店記念で全商品二割引ということもあって、店内は満席だった。諦めて出ようとすると、ちょうど四人掛けのテーブルが一つ空いた。店の人は少し迷惑そうな顔をしたけれども、私と良介くんが構わずそこに座ると、お水を運んできたおばさんが、「すいません。あとで御相席になるかもしれません」と言う。私は向かい合わせに座っていた席を立ち、予《あらかじ》め良介くんの横に移った。

あまりおいしくないカツ丼を二人並んで黙々と食べていると、店のおばさんの言った通り、相席を頼まれた。顔を上げると、なんとそこに、402号室に住む中年男が立っている。前にマンションの廊下で遇《あ》った時と同じく、今どき髪をポマードでべったりとオールバックに撫でつけ、分厚い唇が紫色で、その周りの硬そうな肌に濃い髭の剃《そ》りあとがある。私は顔も上げずにカツ丼を掻き込んでいる良介くんの脇腹を肘《ひじ》で突ついた。いきなり突つかれた良介くんは、「うっ」と短い悲鳴を上げて、「なんだよ！」と米粒のついた唇を尖らせた。その視線がテーブルの横に立つ402号室の男を捕らえたらしい。良介くんの顔が一瞬緊張し、その緊張を誤魔化すためか、「すいませ〜ん」と意味もなく店のおばさんを呼んでしまった。「はい、はい」とすぐに現れたおばさんに、良介くんはまだたっぷりと残っていた水をわざわざ飲み干し、「あの、お水、下さい」と差し出した。

４０２号室の男はすでに私たちの前に座っていた。何度か廊下で遇ったことがあるのだから、私たちが隣人だということは知っているはずなのに、まるで素知らぬ顔をして壁に貼られたメニューを目を細めて読んでいる。伸びた首に浮き出た喉仏《のどぼとけ》まで気味悪い。男は「五色そば」なるものを何食わぬ顔で注文した。この目の前にいる男が、毎夜あのエロダコのような男たちにうら若き乙女を斡旋《あっせん》しているのかと思うと、私はすっかり食欲が失せてしまい、丼に残った卵の膨らみがエロダコの額にある疣《いぼ》に見え、丼の蓋《ふた》についた水滴がエロダコの汗のように思えて吐き気さえした。

たまらず私は、良介くんの腕を引っ張って店を出ようとした。良介くんも体は出ようとするのだけれど、楽しみに残していたらしい最後のカツの一切れが惜しいらしく、腕を引かれながらも箸の先がそのカツを放そうとしない。そんな私たちを、テーブルに「週刊実話」を広げた４０２号室の男が上目遣いにニヤニヤ見ていた。

代金をレジの台に叩きつけるようにして店を出ると、私は思わず、「ちょっと見た？　あの男の顔。信じらんない！」と商店街の人目も気にせず叫んでしまった。まだ口の中でカツを噛んでいる良介くんが、「あいつ、俺らが隣の住人だって気づいたかな？」なんて呑気なことを言うので、「気づいてるに決まってんじゃない！　気づいてて平気で『五色そば』なんて頼んでんのよ！　あ〜イライラする！　なんなのよ、五色って！」とまた叫んでしまった。

私の苛立《いらだ》ちをよそに、良介くんが平然と歩き出そうとする。

「ちょっと！　平気なの？」

私は慌ててその肩を摑んだ。

「だってどうしようもないじゃない。この世の中には、いろんな人がいて、たとえばさ、田んぼを耕してる人もいれば、駅前で歌うたってる人もいるし、煙草を売ってる人、新幹線を運転している人……、いろんな人がいるわけさ。売春の斡旋して生きてる人がいたっておかしくないよ」

「何よ、それ。……急に物分かりよくなってない？」

「だって直輝さんや未来の話じゃ、世の中には喜んで体を売る女だっているっていうし……。それに都会での隣人関係はデリケートなもんだからね」

「だって、非常階段で泣いてる子を見たんでしょ？」

「そりゃ見たけど……でも、世の中にはわざわざ泣きたがる女の子も多いんだって。未来がそう言ってた」

「それにしたって、私たちの隣で売春やってんのよ」

「だから、それだってまだ……」

「もう！　じれったいわねぇ。だったらさ、はっきりさせましょうよ」

「どうやって？」

「だから……、あ、そうよ。良介くんが客になるのよ」

「お、俺？　やだよ！」

「なんで？」

「なんでって……、やだよ」

「お金なら私が出してあげるから。それで本当にそういうことやってることが判明したら、匿名《とくめい》でもなんでもいいから通報しちゃおう」

「マジでお金出してくれんの？……あ、いや、やっぱ、やだよ」

「もしかして、そういう店に行ったことないの？」

「ないよ！」

「なんで？」

「なんでって、なんだよ！」

結局、話は、良介くんはその手の店に行ったことはないが、現在彼女がいない直輝くんはそういう店に通っているのだろうか、という推論に流れ、正式な彼女はいなくても、元彼女の美咲《みさき》さんと未だに頻繁に会っているので、そっちの方はそっちで間に合っているのではないか、という結論に達し、４０２号室の話の方はそのまま立ち消えになってしまった。

マンションの前まで戻ると、「これから桃子の洗車に行くけど来る？」と良介くんに誘われた。

「洗車ぁ？　バイト代くれる？」

「逆に、お金出すからもう一回やらせてって頼むようになるよ」

騙されたつもりでついて来いというので、私は騙されてみることにした。部屋に戻ったところで、どうせやることなど何もない。桃子の駐車場までは、良介くんの自転車の後ろに乗せてもらった。

結局、良介くんが言った通りになった。私は今度またコイン洗車場へ行く時は、必ず声をかけてくれ、とさえ頼んでいた。洗車に時間制限があるなんて初めて知った。まず水洗いが三分、次に洗剤をつけてボディを洗って、ちょっとでも手を休めると、「ピンポン、ピンポン」と終了前三十秒を知らせるチャイムが鳴る。「ほら、琴ちゃん、そっち、あっち」と良介くんに指示されながら、どうにか全体を洗い終えると、今度は最後の水洗い。もちろんこれにも制限時間があって、飛び散る水に「キャア、キャア」悲鳴を上げながら、髪も顔もびっしょりになって洗車完了。こんなに楽しいんだったら、もっと前から誘ってくれればよかったのに、と私は文句まで言っていた。

綺麗《きれい》になった桃子で、９㎞×２回のドライブをして、家へ戻ったらもう五時前だった。良介くんがバイトに出かけたあと、私はまたぼんやりと丸山くんのことを考えている。ほんと、一日なんてあっという間に終わってしまう。

考えてみれば、五ヶ月前、クラブでナンパしてきた男の子のお兄さんが運転する大型トラックに乗って到着した真夜中の築地《つきじ》に、桃子で迎えに来てくれたのが良介くんだった。トラック運転手のお兄さんは、ナンパしてきた男の子とは歳の離れた兄弟らしく、四十に近い妻子持ちの好人物で、「俺で良かったんだよ。他の奴のに乗ってみろ、今頃、後ろのシートで大変なことになってるよ」などと笑っていた。

途中、静岡のパーキングエリアから家へ電話を入れた。踊りに行くと言って家を出た娘が、いきなり昔の男に会いにトラックで東京へ向かっていると知らされた母は、少し奇想天外すぎたのか、「へぇ。東京に」と言ったきり黙り込んでしまった。

「会社には病気だとかなんとか言っといて」と私が言うと、「で、いつ帰ってくるのよ？」と母が訊く。私はとりあえず、「まだ分からない」と答えるしかなかった。

「お父さんには、なんて言えばいいのよ？」

「申し訳ないんだけど、その辺のことは、お母さんにお任せしちゃ駄目かしら？」

「何よ、それ！……ねぇ、ほんとにトラックで向かってんの？　飛行機とか電車じゃなくて」

「ほんとよ。ほんとにトラックで向かってんの」

「へぇ、トラックでねぇ……」

築地で降ろされた私は、もちろんすぐに丸山くんに電話をかけた。しかし、電話には誰も出ず、十回、二十回鳴らしても、留守電にさえ変わらなかった。そのとき初めて、急に心細くなって涙が溢れた。そして泣きながら、東京にいる唯一の友人・相馬未来に電話をかけたのだ。

「電話口で鼻水啜られてたって、何がなんだか分かんないわよ！」

相変わらずの未来の声に、私は嬉しくなって一段と泣き声を上げていた。

「で？　何？　今、分かってんのはね、『やさしいトラックの運ちゃんに、パーキングエリアで、きつねうどん奢《おご》ってもらった』ってことだけなんだからね」

十分かけて説明した。「バッカじゃないの！」と連発しながらも、やっと状況を把握してくれた未来は、「もう電車ないから、今一緒に住んでる良介って子に、車で迎えに行かせるよ」と言ってくれた。

丸山くんとやっと連絡が取れたのは、このマンションに落ち着いて五日目のことだった。丸山くんはそれがお愛想だったにしろ、私が東京に来たことを喜んでくれた。「なんで！なんでいきなり東京に来たの？」と、昔と変わらぬ明るい声を出し、「あなたに会いによ」と素直に答えた私の言葉に、ケラケラと笑い声を上げていた。

前に一度私は、丸山くんが働いていた地元の郊外のホームセンターに、働く彼の姿を見学に行ったことがある。彼は植木コーナーにいて、緑色のエプロンに軍手をはめ、鉢に入ったベンジャミンをお客さんの車まで運んでいた。男の人が働いている姿を見て、胸が苦しくなったのはあの時が初めてだと思う。駐車場から店へ戻ってきた丸山くんに、入口で手を振って合図すると、彼は一瞬、ちょっとだけ迷惑そうな顔をした。それでも、私のそばまで走ってくると、「なんだよ。いつからいたの?」と、少しわざとらしかったが、嬉しそうな顔をしてくれた。

丸山くんとは結局一年と七ヶ月の間、付き合っていたことになる。丸山くんが働いていたホームセンターは年中無休で、私たち女子大生が夏休み冬休みと、長期の休暇が取れる時に限って忙しく、普段でも連休さえなかなか取れなかった。それでもお互いに時間さえあれば一緒にいた。

丸山くんがお母さんと二人で暮らしていることは知っていた。そして、もしかしたら彼のお母さんはあまり体調のよくない人なのかもしれないと、薄々感づいてもいた。なぜなら、デートの最中、彼が何度となく自宅やアパートの大家さんに電話をかけるところを目撃していたし、どんなに甘えた声で誘っても、決して朝までホテルにいようとしなかったからだ。

ただ一度だけ、一年七ヶ月も付き合っていながら、たったの一度だけ、泊まりがけで海へ遊びに行ったことがある。泊まったのはエアコンもついていない安い民宿で、一階からは一晩中オーナーの赤ん坊の泣き声が聞こえてくるような所だったけれども、たぶんあの民宿で過ごした一夜のお陰で、私は今もこうやって丸山くんを思っていられるのだと思う。

子供の頃から、相手が言わないことは訊いちゃいけないことなのだと、思い込んでいるところのある私は、それまでも彼のお母さんのことについて自分から質問することは控えていた。それなのに、その夜「花火やろうよ」と連れ出された夜の砂浜で、私は彼に、「ねぇ、もし私に何か手助けできることがあったら言ってほしいの」と告げたのだ。最初彼は、なんのことだか分からなかったらしく、握った打ち上げ花火を空に向けたままの格好で、「え？何？」と訊き返してきた。

「……だから、お母さんのこと」

私がそう呟いた瞬間、丸山くんが持った筒の中から、紫色の火花が飛び出した。

丸山くんがやっと私の思いに、彼なりの返事をくれたのは、花火もなくなり、二人で腕を組んで民宿へ戻る坂道だった。

「うちのホームセンターの社長にさ、俺と同い歳の息子がいるんだ。まだ十九でさ、ＢＭＷに乗ってやがんの。そいつがたまに、たとえば大学の休みの時期なんか、社長と二人で各店舗の見回りなんかに来るんだよ。うちの店長とかフロア長とかさ、もういい歳なんだぜ、そいつらが、その息子にペコペコ頭下げるんだよ。まあ、当たり前のことなんだろうけど、社長の二代目にそこの従業員がペコペコしてるなんて、どこにでもある話なんだろうけどさ、でも俺、ちょっと思うんだ。ほんとに、それって当たり前のことなのかなって。俺、ほら、頭よくないから、うまく説明できないんだけど、社長が偉いのは分かるよ。でもさ、社長の息子ってだけで、ただそんだけで、ほんとにあそこまで偉いのかよって。俺さ、そんな風なことを休み時間にフロア長に言ったんだ。そしたらフロア長、『次の社長なんだから偉いに決まってるだろ！』だって。そりゃそうだけどさ」

私は丸山くんが何を話し出そうとしているのか分からなかった。ただ、潮の香りの中で、しっかりと彼の腕に摑まっていた。

「ほら北朝鮮ってあるだろ、なんかの雑誌にさ、あそこのキムなんとかって奴の息子のことが書いてあって、そいつ、スイスの全寮制の学校に通ってたんだって。たぶん小学校からだと思うんだけど、でな、そん時、そのキムなんとかって奴の息子の世話係として、同じ歳の男の子も一緒に留学させられたんだって。全寮制の学校だぞ。家来としてだぞ。俺さ、その記事を読んだ時、マジでゾッとしてさ、昼めし時だったんだけど、すっかり食欲失せちゃったよ。もしかしたら飛躍しすぎなのかもしれないけど、俺さ、やっぱ思うんだ。社長の息子にペコペコするのって、当たり前のことじゃないんじゃないかなぁって。世の中で当たり前だって思われてることって、実はけっこう当たり前じゃないんじゃないかなぁって」

私はゆっくりと民宿への坂道を歩きながら、小学校の教室で、ある男の子が落とした消しゴムを、すかさず床に跪《ひざまず》き、拾ってあげる無表情な少年の姿を想像していた。

民宿へ戻ると、交代でお風呂に入った。外に回った丸山くんが、私を脅《おど》かそうと風呂場の窓から中を覗こうとして、民宿のご主人から棒で背中を叩かれた。「ほんとだって！　中にいるの俺の彼女なんだって！」と悲鳴を上げる彼を助けてやるために、私は窓から顔を出し、「おじさん、ほんとですよ」と言ってあげた。その時の私の顔が、恥ずかしいくらい真っ赤に火照っていたのは、熱すぎたお湯のせいではなくて、砂浜にまで届くような大声で、「中にいるのは俺の彼女だ！」と、彼が叫んでいたからかもしれない。

「俺のおふくろさ、ずっと家政婦やってたんだよ。ほら、琴ちゃんも知ってんだろ？　俺らが初めて会った時にもいた健吾。あいつの家で、ずっと家政婦やってたんだ」

丸山くんが、働いていたホームセンターを辞め、東京へ出たという話を、私は人伝《ひとづて》に聞いた。短大を卒業したばかりの頃だった。すでに丸山くんとは別れていた。結局私は、彼から逃げたのだと思う。「彼から」というのに語弊があれば、彼を取り巻く状況から逃げ出してしまったのだと思う。

初めて彼のお母さんを見た時の衝撃は、未だに私の肌に残っている。お母さんはアパートの階段に、下半身に何もつけずに座っていた。

その姿を目にした丸山くんは、私を突き飛ばすようにして、お母さんの元へ駆け寄り、自分の上着で彼女の下半身を隠すと、ぼんやりと夜空の月を眺めている彼女を立たせ、肩を抱き、一歩一歩ゆっくりとアパートの階段を上がっていった。

その場に立ち尽くしていた私は、彼らのあとを追っていいのか、それともこのまま背を向けて帰るべきなのか迷っていた。彼らを追わせようと手を引っ張る私の分身がいた。そして、早く家へ帰ろう、と脅《おび》えるもう一人の分身がいた。二人の分身に両手を左右に強く引っ張られながら、パニックに陥ってしまった私は、「どっち？　あの時、夜の砂浜で、『何か手助けできることがあったら言ってほしい』と言った私はどっち？」と尋ねた。しかしその時、申し訳なさそうに、本当に申し訳なさそうに手を挙げたのは、「家へ帰ろうよ」と脅えている方の分身だった。

翌日も朝早くに電話があった。「きのうはゴメン」と丸山くんが謝るので、「別に、謝ることないよ」と私は答えた。ただ、ミリオンセラーになりそうなドラマの主題歌はもう聞こえてこなかった。

それからというもの、彼とボウリングへ行っても、バニラシェイクを飲んでいても、ただ「丸山くんから電話よ」と妹に呼ばれただけでも、彼のお母さんの姿がちらついた。彼と付き合っていくことは、彼のお母さんと付き合っていくことを意味していた。別れたいと言い出したのは彼の方で、言わせたのは私だ。あの頃の私はまだ二十歳になったばかりの女子大生で、笑いたいから人に会いたい、楽しみたいから生きていた。善玉の分身も悪玉の分身も、私の周りを飛び跳ねながら、「次、何して遊ぶ？　次は？　次は？」と無邪気に浮かれていたかっただけなのだと思う。

早ければ、直輝くんが九時頃、未来が十時頃には帰ってくる。直輝くんは小さな映画配給会社で働いている。一応、仕事内容は聞いたのだが、あまりにも複雑でちゃんと理解できたとは思えない。逆に未来の仕事は分かりやすい。輸入雑貨を扱う店の店員で、ときどき海外へ買い付けに行ったりもする。ただ、彼女が言うには、それはあくまでも生活のための仕事であって、本業はアーティストなのだそうだ。表参道の路上、代々木公園の入口、果ては井の頭公園の池のほとりで、布を広げて自作のイラストを通行人に売りつける彼女に、これまで何度付き合わされたかしれない。

バイトが終われば真っ直ぐうちへ帰ってくる良介くんと違い、直輝くんと未来の帰宅時間はまったく読めない。仕事だけのせいではない。二人とも種類は違うが、同じように酒に溺《おぼ》れるタイプで、銀座赤坂六本木、果ては新宿歌舞伎町まで、酔って寝転がったことのない道はない！　と互いに豪語したりする。ただ、酔って帰宅しても、直輝くんの方はまだ扱いやすい。しばらくの間、トイレから聞こえる「オェ！　ゲェー」という悶絶《もんぜつ》の声さえ収まれば、あとは所構わず寝転がり、すやすやと寝息を立ててしまうだけだ。ただ、彼の場合、その寝言が尋常じゃない。ある晩など、私が水を飲もうと台所へ出ていくと、そこの床で寝ていたスーツ姿の直輝くんに、とつぜん「あ、踏まないで！」と叫ばれた。私はてっきり、自分が踏まれると勘違いしたのだろうと思い、「大丈夫よ。踏まないわよ」とやさしく声をかけてあげた。すると、むくっと起き上がった直輝くんが、「これくらいの、これくらいの奴がいるから」と、親指と人差し指を広げてみせる。

「え？　何？」

「だから、これくらいの奴がそこにいるから、踏まないで」

直輝くんは、そう言って私の足元をきょろきょろと見回すと、また床に倒れて目を閉じた。

驚いたのは私の方で、十センチくらいの何がいるのよ！　どこよ！　どこにいるのよ！　と、暗い台所で、一人ピョンピョン飛び跳ねてしまった。

翌朝、良介くんが教えてくれたところによると、それは直輝くんの夢に出てくる小人の妖《よう》精《せい》のことらしかった。良介くんはその妖精を呼び出す呪文まで聞いたことがあるらしい。

ただ、未来に比べれば、やはり直輝くんの酒癖なんて可愛げがある。未来の場合、酔って帰ってきてからが長い。トイレで吐くわけでもなく、床に寝てしまうわけでもないが、その夜、自分がどこぞの店で披露してきた芸という芸を、べろんべろんになっていながら、もう一度、私たちの前で披露しようとするのだ。もちろん私も良介くんも、彼女が戻るとすぐに各部屋に避難する。

それでも未来は、たった一人リビングに残り、どうも納得のいかなかったらしい世良公則《せらまさのり》の「宿無し」を、振り付きで朝方まで練習している。どこに納得がいかなかったのかは知らないが、その前に、今どきそんな歌を知ってる人はいないと思う。

とはいえ、私はやはり、ここでの暮らしを気に入っている。ここにいるとすごく楽だし、かといって一応、他人と住んでいるわけだから適度な緊張感もあって、なにより、何か状況が変われば、いつでも好きな時に出ていけるというところがいい。たぶん私が『明日ここを出ていく』と告げたって、誰も文句を言わないだろうし、仮に未来の方が出ていったとしても、今なら私は一人でここに残っていられそうな気もする。

私自身は機械音痴《おんち》だからなるべく関わらないようにしているが、インターネットなんかをやっている短大時代の友人たちの話を聞くと、「チャット」だとか「BBS」なんてものが、もしかすると、ここでの私たちの生活に少し似ているんじゃないかと思う。私がインターネットに手を出さないのは、もちろん機械音痴であるという理由が第一なのだが、「個人が匿名でいろんなことを話し合える」などと言われてしまうと、「あらやだ、これまで言えなかった悪口とか愚痴とか言い放題なのね」なんて思ってしまうわけで、「ってことは、私がそう思うんだから、みんなもそう思うのね」ということになり、「やだぁ、みんなで陰口叩き合って、時間潰してるなんて真っ平だわ」という結論に達してしまうからだ。ただ、友人の話だと、全部が全部そんな悪意に満ちたページだけでもないらしく、中には適度にフレンドリーかつ適度に真摯《しんし》な会話を楽しめるサイトもあるという。そこは「善意に満ち溢れた場所」らしい。互いに悩みを打ち明け、心からの同情と声援を送り合う。たまに嫌がらせのような書き込みを残そうとする人が出現し、「私だってつらい時期はあったけど、お互いにがんばろうよ」「ありがとう、ほんとにそうよね」などと話している中に、「へへへ、俺のチンポしゃぶりたいだろ?」なんて発言がとつぜん出てきたりするらしいのだが、もちろん、そういう輩《やから》は、徹底的に無視される。そこは善意のみが入場可能な、出入り自由の空間なのだ。たぶん私たちが暮らしているこの部屋も、そんな場所なのだと思う。嫌なら出ていくしかない。いるなら笑っているしかない。もちろん人間なのだから、誰だって善意も悪意も持ち合わせている。たぶん未来にしろ、直輝くんや良介くんにしろ、ここでは善人の演技をしているのだと思う。まさにこれを「上辺《うわべ》だけの付き合い」と呼ぶのかもしれない。でも、私にはこれくらいが丁度《ちょうど》いい。もちろんこんな生活が、一生続けられるとは思っていない。短期限定だからこそうまくいくのだろうし、意味もあるんじゃないかな、と思う。テレビをつければ罵《のの》り合い、新聞を開けば利権の奪い合い、友達と話せば男の取り合い……、正直なところ、人間の、あるいはこの世の中の、悪意という悪意に、私はすっかり飽きている。もちろん、飽こうが飽くまいがこの世に悪意は存在するし、目をつぶって過ごそうなんて、そんなの楽観的すぎるよ、と笑う人がいるかもしれない。ただ、そう言って笑おうとする、その悪意にも、私はもう飽きている。

2・2

民主党公認候補「淵野《ふちの》とよこ」の宣伝カーで、やすらかな眠りを乱された。住民票を移していないのでここでは投票できないが、もしできたら絶対に「淵野とよこ以外」と書いて投票してやる。選挙に関心を持ってしまうなんて、知らず知らずのうちに、私も単調な日々に埋没しているらしい。

パジャマのままリビングへ出ると、ちょうどお風呂場のドアが開き、腰にバスタオルを巻いた見知らぬ男の子が出てきた。一瞬だけドキッとしたが、どうせ良介くんの後輩かなんかに決まっている。「おはよ」と声をかけると、「あ、おはよう」と男の子も照れ臭そうに挨拶を返してきた。

すでに十時になろうとしていた。今朝の四時過ぎだったか、例によってかなりご機嫌な未来が、ドタバタと部屋へ入ってきて、「もう駄目！　もう飲めない！　もう踊れない！」と喚《わめ》きながら私を跨ぎ、自分のベッドへ沈んだのは記憶にある。その未来も、相当の二日酔いではあったのだろうが、ちゃんと起きて出勤したあとらしかった。

濡れた髪のまま、ぼんやりと突っ立っている男の子に、「ドライヤーだったら、そこにあるよ」と棚を指差し、私は男部屋のドアを開けてみた。二人ともすでに出かけているようだった。

「良介くんは？　学校？」

振り返って男の子に尋ねてみると、「あ、うん。一時間くらい前に出てった」と、ドライヤーを引っ張り出しながら教えてくれる。

「あなた、今日、授業ないの？」

「授業？　俺？　ないよ」

「じゃあ、ちょっと訊くけど、今日なんか予定あったりする？」

「予定？　別にないけど……」

「じゃあさぁ、良介くんが戻ってくるまでここにいれば」

私に嚙みつかれるとでも思ったのか、男の子が少し警戒するのが分かった。

「やだ？　帰っちゃう？」

「……別にいいけど」

「ほんと？」

「う、うん」

「よかったぁ。私もさぁ、口では『別に退屈なんかしてない』って強がってるんだけど、実際、一日中ここに一人でいるってのも、けっこうストレス溜まんのよねぇ」

とつぜん憑《つ》かれたように喋り出した私を、『だったらどっか行けよ』って顔で男の子が見ていた。私が現在、どういう日々を過ごしているのか、まだ良介くんに聞いていないらしい。

とにかく私は、自分とその男の子のためにコーヒーを淹れ直すことにした。直輝くんが出勤前に飲んだらしいバナナプロテインのカップやなんかが、流し台に置かれたままだったので、ちゃっちゃと先に洗い物を済ませ、軽い朝食でも作ってやろうとトーストと目玉焼きを用意した。その間に、男の子は服を着ていた。濡れたバスタオルをどうすればいいのかと訊くので、汚れ物でいっぱいの良介くんの洗濯カゴに捩《ね》じり込んでおくように指図をした。

よほど珍しかったのだろう、その男の子は淹れ直してあげたコーヒーを啜りながら、今朝このリビングで繰り広げられた慌ただしい朝の様子を、まるで生まれて初めてカブト虫を素手で捕まえた男の子のように話し始めた。

「おれ、このソファで寝てたんだけど、七時頃かな、とつぜんそこのドアが開いて男が出てきてさ、『誰だよ、お前』なんて言うから、『あ、サトルと申します』って答えたら、『誰か便所入ってる?』って訊きながら、返事も待たないでさっさとトイレに入ってさ。で、今度、出てきたら出てきたで、『きょう何曜だっけ?』『このシャツに、このネクタイ合わないだろ?』『あ! フジテレビつけて、フジテレビ。占いコーナー始まっちゃうよ』って、人がまだ寝てんのにドタバタドタバタ、こっちはもうすっかり目が覚めちゃって、二日酔いですげぇ頭痛かったんだけど、諦めて起きたわけ。そしたら、『二日酔いか? バナナジュース飲め、バナナジュース』って、ほら、あのシェイカーでガシャガシャ作ってくれるんだけど、二日酔いの朝にバナナジュースなんか飲んだら吐いちゃうっていうんだよ」

「聞いてなかったの? 直輝くんがいるって」

私はコーヒーを注ぎ足しながらそう尋ねた。

「聞いてないよ。てっきり一人暮らしだと思ってたし。でさ、バナナジュース無理やり飲まされてたら、あの人が出てきたんだよ」

「未来?」

「そう。未来さん。で、もう最悪だね。おれより二日酔いがひどいみたいで、っていうより、まだ完全に酔っ払ったままだよ、あれ。『誰よ、あんた』なんておれのこと指差すからさ、『サトルですよ！』って答えたら、自分で訊いておいて、『だから何よ！　なんでそんなムキになんのよ！』って逆に怒られちゃったよ」

「で、二人とも仕事に出かけたんでしょ？」

「そう。出かけた。先に直輝さんが『今日の牡羊座、超ラッキーだよ』なんて言いながら出てって、未来さんは風呂に三十分くらい浸《つ》かってたかな、ときどき、『ウォ〜！』って雄叫《おたけ》びが聞こえるから、おれ、びっくりして『だ、大丈夫ですか！』って、そこのドアの所から声かけたんだけど、『こうやると酒が抜けるのよ』って平然としてんの。で、そうこうしてるうちに良介くんが出てきて、あれ、よほど悪い夢でも見てたんだろうね、部屋から出てきて、おれと目を合わせた途端、『結局さ、俺って駄目な男なんだよ』って思い詰めた顔で言うわけ、『結局って言われても……』っておれ、思わず目逸《そ》らしちゃったよ。で、風呂から出てきた未来さんが、良介くんに『原宿まで送って』って頼んで、良介くんはまだ授業には早かったらしいんだけど、『今度、桃子にガソリン入れてやるから』って、なんだか物騒な条件に納得しちゃってさ、九時過ぎかな、二人揃って出ていった」

　サトルくんの話は、私にとってそれほど珍しいものではなかった。このリビングで毎朝繰り広げられる平凡な光景だ。

「で、二人が出かけちゃったんで、もう少しだけ眠らせてもらおうと思ったんだけど、もう眠れそうもなくて、仕方ないんで酔い覚ましに風呂に入らせてもらって、出てきたら、琴美さんがそこから出てきて、今朝初めて、『おはよ』って挨拶してくれたわけ。ねぇ、このうちってさ、一体何人住んでんの？　このあと、また誰か出てきたりする？」

私は、「もう出てこないよ」と笑って、目玉焼きの黄身で汚れた二人分の皿を重ねた。

シャワーを浴びたあと、サトルくんを連れて駅前のパチンコ屋へ行った。最近、『パチンコで当たりが出れば、丸山くんから電話がある』という根拠のないジンクスを信奉しているのだが、フィーバーしたのはサトルくんの方だった。

帰りにサトルくんと二人で、サーティワンのチョコミントを食べて、コンビニで丸山くんの記事がたまに出ている（「anan」とか「JUNON」とか）雑誌の新刊が出てないか点検していると、サトルくんが、「俺、そろそろ」と言い出したので、ここで逃げられたらまた夜まで一人になってしまうと思い、「ねぇ、部屋で『バイオハザード2』やろうよ」と無理やり部屋へ連れ帰った。

八日ぶりに丸山くんからの電話があったのは、その時だった。私にとってはパチンコどころではない大フィーバーで、「これから会おうよ」という誘いの電話を切ったあと、思わず後ろに立っていたサトルくんに抱きついてしまった。抱きついた時、私は妙な匂いを嗅いだ。

たぶんサトルくんの首筋から匂ったものだと思うが、甘くもなく、かといって柑橘系《かんきつけい》というわけでもない、汗のような、乾いた土のような、そんな不思議な匂いだった。

とつぜん抱きつかれたサトルくんは、最初ぽかんとしていたが、「これから彼に会うのよ！急にスケジュールが空いたんだって！」と喜ぶ私に、「よ、よかったね」と、とりあえず微笑みだけは返してくれた。

いそいそと服を着替え、念入りにメイクをして女部屋を出ると、「駅まで一緒に行くよ」と、サトルくんがソファから立ち上がった。「『バイオハザード2』やろうよ」と自分から誘っておきながら、本当に申し訳ないのだが、彼がリビングにいることさえ、私は忘れていた。

「良介くんも、もうすぐ帰ってくるだろうし、ここで待ってたら？」と、私はお詫《わ》び半分にそう言った。

彼は少し狼狽《うろた》えるような顔をして、「いいよ。一緒に出るよ」と答えた。

サトルくんがやけにじろじろと私を見ているので、「何よ？」と尋ねてみると、「やっぱスウェットなんか着てないで、そうやってちゃんとした服着るべきだよ」と、嬉しいことを言ってくれた。

千歳烏山から京王線で新宿へ出て、サトルくんとはそこで別れた。「またおいでよ」と言うと、「ほんと？」と嬉しそうな顔をするので、「ほんとよ。今度こそ『バイオハザード2』

やりましょ」と微笑み合って別れた。

丸山くんとは、たいてい恵比寿にある小さなホテルの一室で会う。彼が住む寮は、そこから歩いて五分とかからない渋谷区東三丁目にある。何が言いたいかと言うと……、いや、自分の言葉だと、どうしても不必要な言い訳や不安が混じって、的確さを欠いてしまいそうなので、代わりに未来の言葉を使わせてもらうと、「ちゃんとお金もらってくるだけ、コールガールの方がよっぽど気がきいてるわ」ということになる。たしかに、忙しい丸山くんと、ほんのいっときホテルで過ごし、やることといえば、そういうこと以外にないわけで、次の仕事までの限られた時間、何分でシャワーを浴び、何分で前戯を済ませ、何分で……と、つい頭の中で計算してしまう私の心に、未来が示唆《しさ》する「コールガール」の姿が浮かんでこないといったら嘘になる。「だって人気俳優が昔の女をラブホテルに呼ぶんでしょ？」と未来は言う。「それも、急に時間が空いたからって」と。

たしかにそう言われればそうだが、コールガールと私は違う。たとえ「お金はもらってないにしても、料金は愛だけでいいわっていう、新手のコールガールなのよ」と、未来にこき下ろされたって、私には「そうではない！」と言い切れる自信がある。

まず第一に、コールガールを会社の同僚や上司に紹介する男はいない。丸山くんの場合、マネージャーや事務所の社長夫妻がそれに当たるのだが、私はこれまでに三度も、その社長夫妻宅で食事をご馳走になったことがある。社長夫妻はトニー谷《たに》と扇千景《おうぎちかげ》にそっくりだった。丸山くんはもちろん私のことを「恋人」だと紹介してくれた。社長夫妻は耳を塞《ふさ》いで聞かなかったことにしていたが、食事が終わり、私が台所で皿洗いを手伝っていると、扇千景似の奥さんが、「それ、ウェッジウッドだから！」と注意しながらも、「前からあなたの話は聞いてたのよ。『俺には心の恋人がいる』って、丸山くん、そんな風にあなたのこと言ってたわよ」と教えてくれた。心の恋人をコールガールとして扱う男がいるだろうか。

それに彼が自分の寮ではなく、私をホテルの一室に呼びつけるのは、彼の寮にはお母さんがいるからだ。寮といっても、３ＤＫの普通のマンションで、半年前まではもう一人俳優の卵が暮らしていたらしいのだが、先に丸山くんに華々しくデビューされ、まるで女の子みたいにプリプリと怒って、故郷の岸和田に帰ってしまったらしい。だから今では、そこに丸山くんとお母さんが二人で暮らしている。もしも社長夫妻に会ったことがなければ、よくもまあ病身の母親を連れて芸能プロダクションの寮で生活する気になったものだと私も思ったかもしれない。が、彼ら社長夫妻の人柄を知る私は、丸山くんが彼らを信じ、東京でがんばってみようと決心した理由が、なんとなく分かるような気がする。

社長夫妻は、まだ丸山くんが男子高に通っていた頃からすでに目をつけていたらしい。やはりマクドナルドの店員をその笑顔だけで金縛りにしてしまえるほどの魅力を持っているのだ、いくら地方都市とはいえ、『あの高校にはイイ男がいる』という女子高生たちの噂が、芸能プロダクションの社長の耳に入ったって不思議はない。

残念ながら、丸山くんのお母さんの病状は、数年前より更に悪化している。病院では更年期障害からくる重度の躁鬱《そううつ》症と診断されているらしい。

「調子がいい時には、世界一のおふくろだと思うんだ。こんなに素晴らしいおふくろはいないって。ただ、調子が悪いと……、なんていうのかな、俺が世界一の息子になってやんなきゃって……、そう思うよ」

社長夫妻の温情で、彼のお母さんは現在、週に一度通院し、専門医によるカウンセリングと、できる範囲の治療を受けている。もちろん、丸山くんに仕事がある時には、事務所の社員が寮に泊まり込んで面倒を看《み》るし、病院への送り迎えも欠かさない。

「これで売れなかったら、俺、一生、あの社長や奥さんに踏みつけにされて生きてかなきゃならないよ」と丸山くんは笑うが、なんというか、この人にだったら自分の一生を賭けられる、この人になら自分の一生を賭け、苦楽を共にできると思える人物を、彼はもう見つけたんだろうなぁと、私は少しだけ羨ましく思う。

丸山くんは、どんなに頼んでもお母さんのいる寮へは連れてってくれない。もちろんもう、「手助けできることがあったらなんでも言って」なんて軽はずみで無神経なことを言う気はないが、気楽で楽しい日々だけを求めていた数年前の自分が、卑怯にも逃げ出してしまったものに、今なら、手助けしたいなんて高慢な気持ちではなく、素直に向き合えるんじゃないかとも思っている。私がお母さんに会わせてくれと頼むと、丸山くんは、「またフラれたら、もう立ち直れないよ」なんて、私が自殺したくなるような冗談を言う。ただ私は、『あの時は本当にごめんなさい』とは謝らない。もしも私が謝れば、丸山くんは、あの時の愚かな私を許してあげなければならないからだ。

「ねぇ、どうして私とまた会ってくれたの？」

東京で再会して二度目のデートで、私は勇気を出してそう尋ねた。

「どうしてって……、まだ好きだったから。それに、とつぜん電話がかかってきて、『東京にいる』って言われた時、すげぇ嬉しかったんだよ」

丸山くんはそう言ってくれた。

「あんな風に別れたのに？」

「あんな風って？」

「だから……」

「俺のおふくろ見て、逃げ出したこと？」

「………」

「最初っからいい顔する奴って、俺、子供の頃から信用しないことにしてるんだ。これ、芸能界でも通用するらしいよ」

丸山くんは自分が二枚目俳優であることに、ひどく照れているような笑い方をする。

新宿駅でサトルくんと別れ、恵比寿のホテルに到着したのは、丸山くんからの電話を受けてちょうど二時間後だった。フロントで部屋の番号を訊き、のんびりとしたエレベーターに苛々《いらいら》しながら部屋へ向かった。しかし、何度ドアをノックしても返事がない。私はもう一度フロントへ戻り、部屋に電話をかけてもらった。

十七日ぶりに会う丸山くんは、かなり疲れているようで、ドアがノックされたことにも気づかずに、ベッドで熟睡していたのだろう、頬に枕カバーのレースの模様をつけていた。この前会った時にも話だけは聞いていたが、とうとうデビュー曲「泥」(とても売れるとは思えない)のレコーディングに入ったという。ジャケットやプロモーションビデオの撮影、雑誌のインタビュー、深夜ラジオへの出演、それに準主役で出演することが決定した次のドラマの打ち合わせ等、毎日を分刻みで動いているらしかった。

そして、そんな忙しい最中、「急に半日オフになったんだ」と私に電話をくれたのだ。未来や直輝くんや良介くんたちがなんと言おうと、丸山くんはまだ、女子アナなんかとくっついていないし、にわかに増えつつあるファンの子に手なんか出してはいない。ただ、この確信は、残念ながら二人の愛からではなく、彼に見せてもらったスケジュール帳からくるものだ。母親の看病と仕事で埋まった彼のスケジュール帳には、どのページを開いても、浮気どころかアダルトビデオを見る時間もないよと書かれてあるようだった。

私たちは抱き合ってキスをすると、すぐにベッドに飛び込んだ。まだ服も脱いでいないのに、丸山くんの性器がなんだかとても元気がよくて、私が冗談半分に、「やる気満々じゃない」と茶化すと、彼は少し照れ臭そうに、「疲れてるんだよ」と笑った。正直なのもいいが、『会いたかったんだよ』とでも言えばいいのに、と私は思う。

「今度のドラマ、どんな役なの？」

私は毛布の中で服を脱ぎながら訊いた。

「肘の故障でプロ野球選手になるのを諦めたスポーツカメラマンの役」

同じように服を脱ぎながら彼が答えた。さっきまで眠っていたせいか、ときどき触れる彼の肩がほんのりと熱かった。

「他に誰が出るの？」

「え〜とね、松嶋菜々子《まつしまななこ》が出る」

「あの松嶋菜々子？　もう会った？」

「会ったよ」

「どうだった？　可愛かった？」

「可愛いもなにも、横にいるだけで胃が痛くなっちゃうくらい可愛いよ」

丸山くんはとても長いキスをする。キスが好きで、私に背中から抱かれるのを嫌う。セックスに相性というものが本当にあるのなら、私たちは合格点がもらえるかもしれない。人に見せたいとまでは言わないが、見られて恥ずかしいような代物ではないと思う。最近彼は、コンドームを何秒でつけられるかという、あまり品がいいとは言えないことに熱中している。もちろん私に時計を持たせ『計ってくれ』とは頼まないが、つけたあと、ちらっと自分の腕時計に目をやり、ニヤッとする彼を見ると、自己記録を更新したことが一目で分かる。

お互いにシャワーを浴びて、彼が仕事に戻らなければならない時間まで、ベッドの中にいることにした。彼の体はまだ少し濡れていて、髪の毛からはホテルに備え付けの安物のシャンプーの匂いがした。

彼の指を弄《いじ》りながら椅子に投げられた二人分の洋服をぼんやりと眺めていると、「そういえば、この前、仕事が終わって、夜中に寮に戻ったら、俺のベッドに知らない女が寝てたんだよ」と彼がとつぜん話し始めた。

「嘘でしょ！」

驚いて起こした私の頭が、彼の顎《あご》を直撃した。

「あたた……、舌、噛んだ、舌」

丸山くんは真っ赤な舌を突き出した。私は彼の舌を抓みながら、「ファンの子だったの？」と訊いた。

「たふん……、たってなんも身につけてなかったし」

舌を抓まれたまま喋ったので、丸山くんは吐きそうになった。

「で、どうしたのよ？」

「え？　もちろん抱いてあげたよ」

丸山くんが口の中で舌を転がしているのが分かる。

「嘘でしょ？」

私は丸山くんを睨んだ。

「ほんとだよ。だってファンの子なんだよ」

「ファンの子だからって、勝手に部屋に来て、裸で寝てるような女でしょ！」

「脱がせる手間が省けていいじゃん」

そう言いながら彼が笑い出したので、嘘だと分かった。私はもう一度噛めばいいと思い、彼の顎を下から叩こうとしたが、彼はうまい具合に顔を逸らした。

丸山くんは、勝手に部屋へ侵入し、素っ裸でベッドに寝ていたというファンの女性を、隣の部屋で眠っている母親を起こさないように、小声で二時間も説得したらしい。幸い、理路整然と突拍子もないことをするタイプの女性で、「君は純粋すぎるんだよ。もっと計算高い女にならなきゃ。たとえば、好きな男をわざと無視して気を引くとかさ」と言った丸山くんの言葉に、「私、恋愛で駆け引きするのは嫌いなの」と言いながらも、二時間後、やっと部屋を出ていってくれたらしい。

私の心配をよそに、丸山くんは、「きっと今頃、自分ちのテレビの前で、俺のこと無視してるよ」と笑った。その上、「彼女のことなら、俺、もうなんでも知ってるよ。好きな食べ物。好きな色。好きな映画……」と自慢するので、「好きな映画、なんだった？」と私は訊いた。丸山くんは少しだけ顔を緊張させて、「『バンビ』だって」と呟いた。よほど「ミザリー」とでも答えてくれた方が対処しやすい。口では笑い飛ばしているが、相当に怖かったのだろうと私は思う。

そろそろ部屋を出なければならない時間になって、また丸山くんの性器が元気になった。「あと二十分で渋谷のスタジオに戻るためには、何を省けばいい？」と彼が笑うので、「最初と最後のキスは省かないで」と私は答えた。

結局彼は、残りの時間で、最初と最後のキスだけをしてくれた。「ちょっとキザすぎない？」とからかうと、「それでお金もらってんだもん」と、彼は鼻の穴を膨らませて私を笑わせた。

部屋を出てエレベーターで一階へ降りる途中、とつぜん神妙な顔つきになった彼が、「この前も言ったけど、しばらくこのままの状態が続くよ。始めたことだから、一生懸命やりたいし、今は、先のこと、なんも約束できないよ。それでもいいの？」と言った。私はこの前も答えた通り、「それでもいいの」ときっぱりと答えた。

「いつも家で何やってんの？」と彼が続けて訊くので、『電話待ってる』と答えたいところだったが、『携帯持ってんだから、外出くらいできるだろ？』と言われるのが落ちだし、かといって、『でもね、その外出したい所がないのよ』と答えてしまえば、間違いなく彼には重荷になってしまうだろうと思い、「ほら、一緒に暮らしてる友達がイラスト描いてるって言ったでしょ、そのお手伝いしてるのよ」と嘘をついた。

「生活費とかは？」

「OLやってたから、けっこう貯金あるのよ」

「でも、いつまでも続かないだろ？」

「なくなったら働くわよ」

ホテルを出ると、ちょうど空車のタクシーが二台停まっていた。お互いに素知らぬ顔をし

て別々のタクシーに乗り込んだ。前の車に乗り込む丸山くんを眺めていた運転手さんが、

「ねぇ、あの人、テレビに出てる人じゃない？」と言うので、「さぁ」と私は首を傾げた。

「いや、そうだよ。この前『江倉りょう』にフラれた男だよ」

運転手さんはそう言うと、やっとハンドルを切って車を発進させた。若い女の子たちの間だけでなく、丸山くんはタクシーの運転手さんにも知られる俳優になりつつある。いつもより元気だった丸山くんの性器が、どうしてだろう、急に私を不安にさせた。

私はタクシーの中で、「いつまでも続かないだろ？」と言った丸山くんの言葉を思い出していた。言ってしまえば、すでに貯金など使い果たしている。いつまでも続かないのは、

「どうしてもやりたいことがあるの。お願いだから私を信じて」という娘に騙されている両親からの仕送りの方だ。母は、私が昔の男を追って家を出たことを知っているから、ときどき電話口で、「人ってねぇ、追えば逃げるのよ」などと言ったりもするが、それでも母が月末になると、きちんとお金を送るよう父を説得してくれるのは、「うまくいけば結婚するのだろう」という一般的なゴールを見ているからに違いない。だからこそ、相手が現在売り出し中の俳優だなんて、私は口が裂けても言い出せない。仕送りが止まるどころか、明日にでも田舎からお迎えの使者がやってくる。

正直なところ、自分でもどうしたいのか分からない。急に時間が空いたからとホテルに呼

び出されるだけで、一緒に暮らせるわけでもないし、もちろんこの先が、教会の赤い絨毯《じゅうたん》に

繋《つな》がっているとも思えない。だからこそ、今、一番されたくないのは、『で、どうしたいわけ？』という質問で、もしもされたら、私は死んだふりでもするしかない。「将来性ないよ」と直輝くんは言う。「時間の無駄だ」と未来は言う。ただ一人良介くんだけが、「分かるよ。その気持ち、なんかすごく分かるよ」と言ってくれる。ただ、残念ながらあまり嬉しくない。お気楽な大学生の彼にだけは、分かってほしくないとさえ思う。

千歳烏山のマンションに戻ったのは、夜の八時過ぎだった。リビングへ入っていくと、珍しくみんなが顔を揃えていて、帰ってきた私を見るなり、「あの男の子、あんたが連れ込んだの？」と未来が険しい表情で詰問してきた。

「あの男の子って、どの男の子よ？」

私は気楽にそう答えながら、お腹の下の辺りに残っている丸山くんのぬくもりが、ぶり返してくるような感じに浸っていた。今度またいつ会えるか分からない。できることなら、このぬくもりをその時まで残しておきたいと私は思う。

「ほら、琴は見てないのよ」と未来が言った。

「琴ちゃんが起きてきた時には、もういなかったわけか」と良介くんが言う。

「俺なんか、バナナプロテインまでご馳走しちゃったよ」

三人は官能の残滓《ざんし》に浸る私を完全に無視して、深刻な顔を突き合わせていた。

「俺はさぁ、てっきり良介の後輩かなんかだと思ったから……」と直輝くんが言った。

「私もそう思ってた」と未来が言い、二人で良介くんに顔を向ける。

「だから知らないって。見たこともないよ。俺はほら、てっきり未来がまた酔っ払って連れてきたんだと思ってたし……」

良介くんは慌てて鉾先《ほこさき》を未来に向けようとしたが、すでに未来と直輝くんは、「ねぇ、ほんとに盗《と》られてるもんない？」と話を先に進めていた。

いくら官能の残滓に浸っている私でも、三人がサトルくんのことについて議論し合っていることが分かってきた。

「ねぇ、ちょっと待って、それってサトルくんのこと？」

そう口を挟んだ私を、三人が同時に見上げた。みんなの顔に、『さぁ、こい』『それからどした？』という性急な色が浮かんでいる。

「それってサトルくんのことでしょ？」

私はおずおずともう一度そう言った。

「あんたが連れ込んだの？」

「な～んだ、琴ちゃんの知り合いなんだ」

「琴ちゃんも案外やるねぇ、あんな若い子？」

どうも三人に勘違いされているようだったので、「ちょっと待ってよ。私、知らないわよ」と慌てて言い返した。

「今、サトルくんって名前まで言ったじゃない？」と未来が言う。

「だ、だから今朝、ここに泊まってた子でしょ？」と私は答えた。

「そうよ、その子よ」

「りょ、良介くんの後輩でしょ？」

私が良介くんへ助けを求めると、「だから違うって！」と目を逸らす。

「ちょ、ちょっとそれどういうことよ？　だったら誰よ、あの子。私、朝ごはん作ってあげて、一緒にパチンコまで行ったのよ」

「パチンコぉ？」

三人の呆れた声が揃った。

私は直輝くんと良介くんの間に体を押し込み、さっきまで仲間外れにされていたテーブルの上での深刻な顔寄せに、俄然《がぜん》参加させてもらった。

喧々囂々《けんけんごうごう》となった四人の話し合いは、昨夜最後に帰宅し、鍵をかけ忘れたのは誰か？　という見苦しい罪のなすり合いに端を発し、日頃の防犯意識の欠如、犯罪都市東京で暮らすことへの心構えにまで広がった。途中何度も、「ほんとに何も盗られてない?」と誰かが言い出し、みんな慌てて各自の部屋へ戻り、「やっぱり盗られてない」「五百円玉貯金もある」などと口々に呟きながら席に戻った。そうこうするうちに、万が一、あとで盗難が発覚した場合、警察に通報する時に備えて、似顔絵を描くことになった。一番長く一緒にいたのだからと、まるで罪人扱いの私が、一応、本業イラストレーターの未来に、顔の特徴を細かく伝えた。出来上がった絵を見て、「ここで会った時も思ったんだけど、やっぱ誰かに似てるよ」と直輝くんが言い出し、今度は誰に似ていたかという話に時間を費やすことになる。

「ほら、『小さな恋のメロディ』って映画に出てる男の子に似てない?」と最初に言ったのは未来だった。確かに、言われてみれば似ていないこともない。ただ、「小さな恋」って歳じゃない。その点だけは、みんなの意見がまとまった。だとしたら、彼は一体いくつくらいだったか? しばらく意見を出し合った末、サトルくんは、十七歳の高校二年ということで落ち着いた。

年齢が決まると、彼がどうしてここにいたのか、という話がまた蒸し返された。途中、直輝くんと未来がワインを開けようとしたが、私と良介くんで奪い取った。

「普通、俺がトイレに入っている隙に逃げるだろ」と直輝くんが言った。

「そうだよ、なんで泥棒がわざわざ二度寝して、琴ちゃんが起きてくるまで待つ?」

良介くんの意見は間違っていない。

「ねぇ、やっぱり未来が酔っ払って連れてきたんじゃないの？」

私がもう何度となく繰り返された意見を言うと、「違うって！」と否定しながらも、「それに十七歳の子が、どうして私についてくるわけ？」と、ちょっと自慢げに顎を突き出す。

「昨日の晩、どこで飲んでたのよ？」と私は訊いた。未来は遠い過去へでも遡《さかのぼ》るかのように、訥々《とつとつ》と昨夜の出来事を語り始めた。

「昨日は遅番だったから最後まで店にいて、店を出たのが九時でしょ。社長が『メシ食いに行こう』って言うから赤坂の沖縄料理屋に行って、ほら、前に直輝と行ったじゃない？」

「あのゴーヤが苦くなかった店？」

「苦くないゴーヤってあんの？」

「もう！　そんなのいいから、次、沖縄料理屋行って、それから？」

「それから……、あ、そうよ、そこでけっこう飲んじゃったのよねぇ、泡盛。効くのよこれが。で、社長と一緒にシモキタのバーに向かって、ほら、良介の友達がバイト入ってる……」

「『ブロッキイ』？」

「そうそう。あそこで、またウォッカ、ガブ飲みよ。そしたら、そこに偶然マリネママが来て、『あら、アンタ何やってんのよ、ご無沙汰じゃない』って、そのまま新宿二丁目のママの店に直行」

「で？」

「で、その先がちょっとあやふやっていうか……、覚えてないっていうか……」

「ほら、やっぱりそこであの子と知り合って連れてきちゃったのよ」

「だから、それはないんだって。さっきマリネママに電話して訊いたんだもん。そしたら、『そんな子いなかったって。二時過ぎに、ラウラとシルバーナに抱えられるようにして出てった』って」

「ラウラってあの織《お》田《だ》無《む》道《どう》に似た人？」

　そう訊いた良介くんを、「駄目よ、そんなこと言っちゃ！　本人かなり気にしてんだから」と未来が叱《しか》った。

『ってことは、私、空き巣とパチンコに行ったわけ？』と、私はゆっくりと恐怖を感じ始めた。空き巣に「またおいでよ」なんて言っちゃったわけ？

　また堂々巡りに戻った話に、とうとう「座敷わらし説」まで飛び出して、多少、この話題に飽きてきた感のあったみんなは、危うくその説に落ち着きそうになりながらも、とりあえず今夜はお開きにして、順番にお風呂にでも入りましょうか、ということになった。とつぜん玄関のチャイムが鳴ったのはその時だった。

一同、上げかけた腰をさっと戻し、互いに顔を寄せ合った。

「まさか、戻ってきたんじゃないよね？」

「まさか」

こういう時こそ、男の子と一緒に暮らしていてよかったと思える瞬間だ。「か、鍵、閉めてあるよな？」と一応確認しながらも、勇敢な直輝くんを先頭に、良介くんが続き、そのあとを、私と未来ががっちりと腕を組んで玄関へ向かった。

覗き穴から様子を窺《うかが》った直輝くんが、「い、いるよ、そこにいる」と、私たちの方を振り返る。良介くんはその場にあった傘を、私と未来は摑む物がなかったので、とりあえず両手を空手チョップの形に変えた。

「飛び出して捕まえるか？」

声を潜める直輝くんに、『行け』と良介くんが合図した。その時だった。ドアの向こうから、「未来さ～ん！」と呼ぶサトルくんの間の抜けた声が聞こえた。

「え？　私？」

未来が思わず空手チョップで身構える。続けて、「いませんかぁ？　琴美さ～ん！　良介く～ん！　直輝さ～ん！」と、サトルくんは全員の名前を連呼した。

最初に動いたのは直輝くんだった。チェーンをかけたままドアを開け、「ちょっと訊くけど、お前、今朝どうやってここに入った？　鍵が開いてたのか？」と単刀直入に訊いた。

ドアの向こうから、「どうやってって、未来さんが鍵を開けて」と、おどおどと答えるサトルくんの声がする。ドアのこちら側で、私たちは一斉に未来を睨んだ。もちろん私は組んでいた未来の腕を振り払った。

「嘘よ！　嘘！」

観たことはないが、未来が新劇っぽい演技を始めた。考えてみれば、前にも何度となくあったことなのだ。酔った未来が、一緒に飲んでいた店の客を連れて帰ってくることなんて。すでに直輝くんがチェーンを外し、ドアを開けていた。往生際の悪い未来は、「証拠を出しなさいよ！　証拠を！」とまだクサい芝居を続けている。

「証拠って言われても……」

玄関先に立ったサトルくんが、「あ、ラウラって人も一緒だった」と言い、「ラウラってどんな感じの人だった？」と尋ねる良介くんに、「化粧した織田無道みたいな人」と答えた。

「ど、どこで会ったのよ！」

未来はまだ見苦しい演技を続けるつもりらしかった。

「どこって、ほら、きのうの夜、おれが公園に立ってたら、『見～つけた！』っていきなり未来さんが抱きついてきて、『誰ですか？　放して下さい』っておれが必死で言っているのに、なんとかってバーに無理やり連れてったじゃないですか」

「ラウラも一緒だった？」

「途中まで」

「で、私があなたをここまで連れてきた？」

「はい」

「無理やり？」

「一緒にタクシー乗らなかったら、ここで大声出してやるって。靖国通りの真ん中で」

私たちは馬鹿らしくなってリビングに戻った。結局、未来がマリネママの店を出たあと、公園にいたサトルを捕まえ、一緒に飲んだ挙句、無理やり連れてきていたわけだ。

「さぁ、誰が先に風呂に入る？」と良介くんが訊いた。「サトルくんだっけ？　いいからこっち来いよ」と直輝くんが手招きし、私はまだしらばっくれようとする未来を置いて、「この人ね、もうしばらくここで芝居の稽古《けいこ》するらしいから。放っといてあげて」と、サトルくんを連れてリビングへ戻った。

相馬未来（24歳）イラストレーター 兼 雑貨屋店長

3・1

今どき二週間もあれば、世界一周旅行だって夢じゃない。慌ただしいのが性に合わないというバックパッカーなら、ベトナムの農村をバスで観光し、懸命に働く農民たちの姿を眺めて、趣味の「自分探し」だってできる。もちろんどんな「本当の自分」が見つかろうと、私の知ったことじゃないし、見つけてびっくり、実は驚くほど陳腐だった「本当の自分」に、尻尾《しっぽ》を巻いて日本へ逃げ帰ってきたところで、私は知らない。

自分でも、ほんとに嫌味な女だと思う。ただ、言わせてもらえば、「自分捜し」のためにベトナムの農民を見学に行くようなバックパッカーがいる限り、私は嫌味な女であり続けるし、もっと言わせてもらえば、そんな彼らが、私をこんな女にさせるのだ。ついでだから、純朴なベトナム農民の代わりに、ここで一言。

「仕事中、畑の周りをうろうろされたら、目障りなんです！」

この日本で、あくまでも人道主義を貫きたいなら、嫌味な女になるしかない。

とにかく、二週間あればいろんなことができる。本屋へ行けば、『二週間で視力回復』『らくらく二週間のデンマーク式たまごダイエット』『あなたにも二週間で彼のセーターが編める』『二週間で英検準一級をパス』、果ては『人間形成医学によって、九割の不登校生徒が必ず二週間で登校するようになる』と豪語する書籍まで並んでいる。

ここまで自信たっぷりに言われれば、二週間ってすごいと思うし、二週間もあれば、この私がニキ・ド・サンファンになれないとも限らない。

二週間……。私が酔って連れてきたらしいサトルと名乗る少年が、このマンションで暮らし始めて、そろそろ二週間になる。

3・2

朝方、ふと思い立って冷凍庫の霜取《しもと》りをしていると、いつの間にか、背後に良介が立っていた。私はかなり熱中していたらしく、男部屋から良介が出てきたことも、背後に立ち、じっと私の背中を見ていたことにも気づかなかった。

「不気味ねぇ。いるんだったら声かければいいじゃない！」と私が注意すると、「不気味だから、声かけられないんだろ！」と逆に言い返された。

たしかに、朝の四時半に真っ暗な台所で冷凍庫の霜取りをやってる女は不気味かもしれない。しかし、この程度の女を不気味がっていたら、一生結婚なんかできるもんか、とも思う。私のお母さんなんてねぇ、「今夜は何食べたい？」って科白を、三十年間、毎日欠かさず言い続けられるのよ！

良介は冷蔵庫からボルヴィックのボトルを出すと、ごくごくと喉を鳴らして飲み始めた。これだけの水分補給を必要とする寝相って一体どんな風なのだろう？　ボトルを冷蔵庫に戻した良介が、「で、何やってんの？」と改めて訊くので、私は、「見りゃ分かるでしょ？」と答えて、冷凍庫の奥にこびりついた霜を取った。

「霜取り？」

「そうよ。他に何やってるように見えるのよ？」

少し感情的に私は答えた。するとパジャマ姿の良介が、軽く私の肩を揉んだあと、「安心したよ」と訳の分からないことを言う。「どういう意味よ？」と私は尋ねたのだが、良介はあくびをしながら何も答えずに男部屋へと姿を消した。たとえば『冷凍庫の中から、ヘンな声がするの』とでも言えば、もっと不安にさせられたのかもしれない。

それにしても、朝の四時半に台所で霜取りをしている女に、『なんかあったの？』とも訊かないどころか、「霜取りしてる」と言われて、安心までしてしまう良介というのも、ほんと気の利かない馬鹿な男だと思う。人生は短い。馬鹿な男になど構ってはいられない。ただ、そんな馬鹿な男が、けっこう嫌いじゃなかったりするから始末に負えない。側面にこびりついていた巨大な霜が、その時、ぼろっと見事に取れた。

リビングのソファに、まだサトルの姿はない。自称、小窪《こくぼ》サトル十八歳。現在「夜の仕事」に勤務。たったこれだけの情報で、みんなはなんの疑問も持たずに寝食を共にし、すっかり打ち解け合っている。

いつだったか、サトルがいない時、ちょうど他の三人がリビングに揃っていたので、「ねえ、あんたたち、彼がどんな仕事してるかとか気にならないわけ？」と訊いてみた。

「夜の仕事だろ」と直輝が答えるので、「だから、その夜の仕事って何よ？」と私が尋ねると、「バーテンかなんかじゃないの」と琴が言う。

「どこの、なんて店で？」

執拗《しつよう》に食い下がった私に、マニキュアを塗る琴の様子をじっと見つめていた良介が、「新宿だよ。俺、何度か桃子で送ったことあるもん」と言った。

その後、直輝がジョギングに出かけてしまい、話はそこで中断された。

サトルが隠しているのだから、何も私がしゃしゃり出て言うことはないのだが、私は彼を新宿二丁目で拾ったのだ。その上、彼が立っていた公園は、引っかけた客がシャワーを浴びている隙に、財布ごと盗んでいくような男娼《だんしょう》たちの巣窟《そうくつ》なのだ。マリネママに聞いたところによると、あの公園に立っている少年たち全員が、そんな悪いのばかりではなく、「中にはほんと心根のいい子もいるのよ」ということだし、私自身、何人もそんな心根のいい男娼たちを知っていて、公園辺りでたまに顔を合わせれば、仲良く一緒に飲みに行ったりもする。みんな十七、八の気の置けない愉快な男の子たちだ。

たしかにここ二週間のサトルを見ている限りでは、彼が男娼だとしても、悪い方のそれだとは思えない。しかし、かといって、なんの疑いも抱かずに、リビングのソファを提供したり、果ては彼の「職場」まで車で送ってやる良介の無神経さには、別の意味で警戒が必要だとも思う。

冷凍庫の霜を完璧に取り除いた頃には、すでに夜が明けていた。朝の五時、窓を開け、少し冷たい風を頬に浴びながら、心地よい達成感に浸っていると、玄関でガサゴソと音がして、コンビニの惣菜《そうざい》を提げたサトルが帰ってきた。「起きたの？　それとも起きてたの？」などと呑気なことを言いながら、ひじき、きんぴらごぼう、ゴマ豆腐と、やけに所帯じみた惣菜をテーブルに並べ始める。

「どう？　今夜は稼げた？」

私は何気なくそう尋ねた。ちらっと私の方を見たサトルは、一瞬、言おうか言うまいか迷ったようだったが、腹を括《くく》ったような薄笑みを浮かべ、指を三本突き立てた。

「三人ってこと？　三万ってこと？」と私は訊いた。

サトルは意味深な笑みを浮かべたまま、「だから三本ってことだよ」と笑った。

自分で言うのもなんだが、私には人を見る目がある。ヘンなお説教などしなくても、このサトルという少年が、私や直輝、琴や良介に、迷惑をかけることはないと思う。

3・3

私は、たいてい男の身体をモチーフにしてイラストを描く。たとえば無精髭の生えた顎だとか、臍《へそ》の辺りまで毛の生えた下腹とか、上腕二頭筋とか、腰骨とか、足の甲とか、そういった男の身体の一部を、腐った果実や汚れた雪なんかとコラージュしてイラストにする。

作業はいつも女部屋にあるMacを使う。朝方まで熱中してしまうこともあって、出来が悪いとプリンターやマウスに当たるし、頭を抱え込み、唸《うな》り声を上げることもある。その横で、琴はすやすやと眠っている。たとえピストルズの「anarchy in the U. K.」や、ベートーベンの「第九」の合唱部分をかけても、彼女は目を覚まさないのかもしれない。無神経と言ってしまえばそれまでだが、彼女には何かを怖れるという感情が希薄なように思える。見知らぬ男のトラックでとつぜん上京してきたことにしろ、初対面の男が二人もいるこの部屋に、なんの躊躇《ためらい》もなく住み始めたことにしろ、子供の頃から誰にでも「可愛い、可愛い」と褒めそやされ、学校ではクラス中の男子の憧《あこが》れの的、そんな人生を送ってきた女だけが持つ、どこか楽天的な「隙」のようなものを、琴はたしかに持っている。

ある夜、琴と二人で海藻パックかなんかについて話をしていた。私はベッドで、琴は床の布団の中だった。そろそろ寝ようかということになり、「じゃ、電気消して」と琴に言われた。壁にある電気のスイッチまでは、たしかに私の方が近かった。ただ、ベッドから出るのが面倒だった。

「ねぇ、蛍光灯につける長い紐みたいなのあるじゃない。今度ここの電気にも、あれつけようよ」

私がそう提案すると、「取っ手に小さなイルカとかついてるやつ?」と琴が訊く。

「別にイルカじゃなくてもいいけど。あれあると便利じゃない。わざわざベッドから出なくて済むし」

いつもなら「いいんじゃない」としか言わない琴だが、この提案に限って、珍しく不服を申し出た。「でもさぁ、便利なものって、たいがい下品なのよねぇ」と。

この狭い部屋を、喧嘩《けんか》もせずに琴と共有できる理由を、一つだけ挙げろと言われたら、私は迷わず、この夜の琴の科白を挙げると思う。

いつだったか、「ここでの暮らしって、私にとってはインターネット上でチャットしてるようなもんなのよ」と、琴が言ったことがある。その時は、また訳の分からないことを言い出したと相手にもしなかったが、言われてみれば、たしかにそんな感じがしないでもない。ここでの暮らしというよりも、リビングにいる時の状況が、それに近いような気がする。たとえば女部屋を出てリビングへ行けば、たいてい誰かがいる。琴と良介がテレビを見ていたり、良介と直輝が腕相撲をやっていることもある。もちろん誰もおらず、私がぽつんとソファに座ることもある。しかし座っていれば、誰かしらが必ず入ってくる。

ただ、チャットルームには基本的権利として匿名性が与えられる。が、ここにはない。本人どころか、親の名前まで知っている。この匿名性という魔物……、世間では一般に、この匿名であるということで、人間は本性を曝《さら》け出すようになると信じられている。でも、本当にそうだろうか。もしも私が匿名で何かをできるとしたら、私は決して本当の自分など曝け出さず、逆に、誇張に誇張を重ねた偽者の自分を演出するだろうと思う。今の世の中、「ありのままで生きる」という風潮が、なんだか美徳のようになっているが、ありのままの人間なんて、私には「怠慢でだらしのない生き物」のイメージしか湧《わ》いてこない。

もしかすると、琴が言いたかったのは、まさにこれだったのかもしれない。ここでうまく暮らしていくには、ここに一番ぴったりと適応できそうな自分を、自分で演じていくしかない。そしておそらく、ここではシリアスな演技は求められない。もしもシリアスな演技がしたければ、ここを出て、それこそ文学座か、劇団「円」辺りに行くしかない。

たとえばこうだ。

ここで暮らしている私は、間違いなく私が創り出した「この部屋用の私」である（「この部屋用の私」はシリアスなものを受けつけない）。よって、実際の私は、この部屋には存在しない。ここの住人（良介や琴や直輝やサトル）とうまくやっているのは、「この部屋用の私」なのだと思う。……が、しかし、ここにいる彼ら（良介や琴や直輝やサトル）が、私と同じように「この部屋用の自分」を創り出していないとも言い切れない。とすると、彼らも実際にはこの部屋に存在していないことになり、畢竟《ひっきょう》、この部屋には誰もいないことになる。

もしも、ここが無人の部屋だとすれば、何も気を遣うことはない。わざわざ「この部屋用の私」などを創り出す必要もなく、私は私として堂々と気兼ねなく過ごしていられる。……いや、違う。堂々と気兼ねなく過ごせるのは、ここが無人の部屋であるからだ。でも、ここが無人の部屋になるためには、ここに「この部屋用の私たち」がいる必要があるのだ。ということは、「この部屋用の私たち」を創り出せるのは、やはり私たちでしかないわけだから、結局この部屋には、寝相の悪い良介や、テレビばかり見ている琴や、朝からプロテインを飲む直輝や、若いくせにひじきが好きなサトルや、そしてこの私が間違いなくいて、息苦しいほどの満室状態ということになる。実際には満室状態なのだが空室。でも空室だから満室状態。……よく分からない。

3・4

仕事が遅番の日だったので、昼前に起きた。シャワーを浴びたあと、台所に残っていたおにぎりを咥《くわ》え、そのまま出勤しようと玄関へ向かうと、脱ぎ散らかされた靴の間にしゃがみ込み、郵便受けの穴から外を覗いている琴の姿があった。

「何してんの？」

そう声をかけると、慌てて振り返った琴が、「シーッ！」と人差し指を唇に押し当てる。

「な、何よ？　誰かいるの？」

「シーッ！」

琴はそう言うと、また郵便受けに顔を寄せた。お尻で琴の体を押し退けて横にしゃがみ、私もそこから覗いてみた。廊下で、良介と４０２号室の男が立ち話をしていた。

「良介じゃない？　何してんの？」

私が琴の耳元でそう囁《ささや》くと、「潜入捜査させるのよ」と、琴が火曜サスペンスの片平《かたひら》なぎさばりの表情で答える。

「何よ、潜入捜査って？」

「だから良介くんを客として４０２号室に送り込むの。あ、シッ！」

琴に押されて、私は直輝のローファーの上に尻餅《しりもち》をついた。

「じゃあ、来月の四日に」

扉の向こうから良介の声が聞こえる。４０２号室の男は部屋へ戻ったらしかった。立ち上がった琴が、ゆっくりとドアを開け、これまたサスペンスドラマの新米刑事のような良介を迎え入れる。

「どうだった？」

「バッチリ」

「じゃあ、向こうは素直に認めたのね？」

「最初『知ってるんですよ』って俺が鎌《かま》かけても、『なんの話ですか？』なんて、しらばっくれてたんだ。でも、『管理会社にバレるとまずいんじゃないですか？』って言ったら、『仕方ないなぁ……。でも若い男性のお客は取ってないんですよ。それに、営業してるのは満月の前後三日と、新月の前後三日間だけで、今月はもう予約がいっぱいだから無理です』って。で、『来月の四日ならいいですけど』って言うから、その日に予約入れてきた。これで真相が明らかになるよ」

「そうね。あ、でも……」

「何？」

「いや、っていうか、向こうがもう認めたんだったら、別に潜入する必要ないんじゃない？」

「え？　しないの？」

琴と良介の会話を、私はまだ玄関に尻餅をついたまま聞いていた。足元にいる私にやっと気づいた良介が、「何してんの？」と声をかけてくれたので、私は良介に腕を引っ張ってもらいながら、「あんたたちバッカじゃないの」と素直な感想を述べた。

しかし二人は、私を無視してリビングへ戻りながら、「で、いくらだって？」「本当は三万らしいけど、お隣さんだから二万でいいって」「え！ そんなにすんの！」などと言い合っていた。

靴を履き終えた私は、「いってきま〜す」と奥に声をかけてみたが、『いってらっしゃ〜い』の代わりに、「高いわよ！」「安いよ！」と怒鳴る二人の声しか返ってこなかった。

二人が本気でやっているのかどうかは知らないが、私としてはお隣が売春宿だろうが、海賊版のビデオ工場だろうが、なんだって構わない。ただ、夜中に洗濯機を回したり、ゴミの分別ができないようだったら、断固として抗議に行く。

3・5

私が勤める輸入雑貨店は、主にバティックやイカット、他にもインドやバリの置物やアクセサリーなどを扱っている。原宿に二店舗、川崎と本牧《ほんもく》に各一店舗あり、私は原宿二号店の店長を任されている。

四年前、表参道の喫茶店で社長の慎二《しんじ》さんに面接を受けた時、彼はよほど誰かに話したかったのか、これまでの自分の苦労話を延々と一時間半も喋り続けた。大学卒業後に就職したアパレル会社が倒産し、心機一転、親に借金をして始めたメキシコ産の革製品輸入会社で、今度は共同経営者だった友人に資金を持ち逃げされた。逃げた友人は、高校からの親友で、一生の友だと思っていたという。逃げた彼を捜して、社長は冬の旭川を歩き回り、疲れ果ててラーメン屋に入った。熱い麵を啜っていると、悔しくて涙が出てきてさ……、という辺りで、私も思わずもらい泣きしてしまった。「泣くなよ」と言いながら社長が泣く。「でも、よかったじゃないですか、今はこうやって、立派にやっているんですから」と、私もまた泣いた。

まさか私たちが、雑貨店のバイトの面接をしているなんて、喫茶店にいた誰にも分からなかったと思う。

私が、夜な夜な飲み歩くようになったのは、この社長、慎二さんのせいでもある。初めて青山の「Blue Note」へ連れていってくれたのも彼だし、銀座の高級クラブ、新宿ゴールデン街に、二丁目、果ては箱根の「強羅《ごうら》花壇」まで、地方出のまだ二十歳になったばかりだった小娘の私に、いろんな遊びを教えてくれた。ただ、みんなは誤解しているようだが、私と慎二さんの間には肉体的な関係は一切ない。もちろん、その手の誘われ方をすれば、私の方できっぱりと断るし、断って陰湿になるような人であれば、さっさと雑貨屋など辞めてやる。

初めて慎二さんに新宿二丁目の飲み屋に連れていってもらった時、ちょっと比喩《ひゆ》は陳腐だが、私は天国を見たような衝撃を受けた。今思い返してみれば、最初に行ったのがマリネママの店だった。店内のカウンターやボックス席には、まさに食べ頃の果実のような若い男たちがわんさかいて、その誰一人として、私へ視線を向ける者がいなかった。あの解放感をなんに譬《たと》えたらいいのか。たとえば、私が今ここで素っ裸になっても、店にいる男たちは、ちらっとくらいは見るにしても、素っ裸の私のことなど無視して、『この前、会社の同僚の家に行ったら、GIVENCHYのウルトラマリンがあったんだ』なんて話を、延々と続けるんだろうなぁと思えた。もしもあの場所に琴が入れば、『あらやだ、男の中に女が一人』なんて無意味な警戒心を抱くのかもしれないが、私は警戒心どころか、どんな悪人でも入場可能な、敷居の低い天国を見ているようだった。

敷居の低い天国には、入場の際に提出する申請書の性別欄に「男」と「女」だけでなく、「人」と書かれた欄がある。

3・6

二、三日前、珍しく休みが重なった直輝と二人で、駅前の焼肉屋へ行った。ユッケの黄身を混ぜながら、「俺さぁ、電車の中でウォークマンとか聴いてる女を見ると、妙に興奮しちゃうんだよね」と彼が言うので、「なんでよ？」と訊くと、「なんていうか……、たぶん一種のフェティシズムだと思うんだけど、外の音とまったく隔絶された女の後ろに立ってさ、その耳の裏から首筋の辺りまでゆっくりと舐めてみたくなるんだよ」と、真剣な顔で告白する。

「それじゃあ、タワーレコードやヴァージンの試聴コーナーなんて、あんたにとっちゃ、ある意味ハーレムじゃない」

もちろん私は冗談のつもりで言ったのだが、直輝はカルビをサンチュで巻きながら、「あ、そうか！」と妙に感心した様子だった。

今、私たちが暮らしているこのマンションは、元はと言えば、直輝と美咲が借りた部屋だった。もちろん恋人同士だったのだろうし、蜜月《みつげつ》の時期もあったのだろうが、私が同居人として越してきた時には、すでに二人は別々の部屋で寝るようになっていた。美咲とは、社長の慎二さん繋がりのとても気の合う飲み友達だった。

ある晩、マリネママの店で、「今度、アパートの更新なんだけど、この前、車で事故っちゃってお金ぜんぜんないのよぉ」と、私が愚痴を溢《こぼ》していると、「あら、だったらうちに来なさいよ。部屋が一つ空いてるし」とマリネママが言い、その横から、「うちでもいいよ。

部屋空けるし」と美咲が言った。マリネママの部屋には、私を目の敵にしている狂暴な猫がいる。美咲の部屋には、私と同じく酒好きで、性格も穏やかな直輝がいる。ときどき美咲がマリネママの店に連れてきていたので、直輝とはすでに面識があった。

あるとき、直輝がマリネママから、「あんた、もし男とヤるとしたらどんなのがいい？」と訊かれ、「そうだねぇ、もしどうしてもヤらなきゃいけないんだったら、ロラン・バルトとか、ミシェル・フーコーとか、ああいう知性派とだったら寝てみたいな」と答えたのを覚えている。たいていのヘテロ男は、この手のマリネママの質問に、知性派ではなく、格闘家の名前を挙げる。

「なんかベッドの中で説教されそうじゃない」とママは笑っていた。

「ママは知性より肉体の方が好きだもんね」と直輝も笑い、「そうよ。いつも肉とばっかり寝てるから、コレステロールが溜まるのよ」とママが答えた。

「でも、噂によると、新鮮な肉ばっかり選んでるって話じゃない」と私が横から口を挟むと、

「そうなのよ。ただねぇ、新鮮なお肉は、お値段がお高くって」とママが笑う。

「またぁ、がっぽり稼いでるくせに。グラムじゃなくてキロ単位で買ってるって話だよ」

そう言ったのは、まだ宵の口の直輝だった。

実際にこの夜の会話を思い出していたわけではないのだが、私は、狂暴な猫と温厚で洒落《しゃれ》

の分かる直輝とを天秤《てんびん》にかけ、ママではなく美咲に向かって、「お言葉に甘えて、来月からお邪魔しちゃっていいかしら」と、猫撫で声を出したのだ。

大手化粧品メーカーで秘書をやっている美咲と、インディペンデントの映画配給会社に勤務する直輝、それに雑貨店勤務で本業はイラストレーターの私、この三人の共同生活は、当初の予想に反して不思議とうまくいった。カメラだって三脚だから立つわけで、二脚ではひっくり返ってしまうのだ。

最初は、今の女部屋を美咲と直輝が使い、私が一人で現在の男部屋を使っていたのだが、「やっぱり直輝の寝言が気味悪い」という差し障りのない理由で、美咲が直輝を今の男部屋へと追い出し、代わりに私が美咲と女部屋を共有するようになった。その直輝が大学の後輩の後輩だという良介を連れてきたのは、三人で暮らし始めて半年くらい経ってからのことだ。私も美咲も理由くらい訊けばいいのに、「へぇ、大学生なの？」とわざわざ口にしなくてもいいような質問をしただけで、多少ヌケた感じのする、その大学生を仲間に入れることを承諾した。今、考えてみれば、その頃すでに、美咲は直輝と別れることを考えていたのだと思う。

美咲が、同じ会社で働く中年の独身男と付き合い出し、その男の家に入り浸るようになったのは、それからすぐのことだった。美咲が一週間のほとんどをその中年男の家で過ごすようになった頃、私は思い切って、「いいの、これで？」と直輝に訊いてみた。すると直輝から、「俺はいいけど、そっちはいいの？」と逆に訊かれた。

「どういう意味よ？」

「だって、美咲がここを出てったら、男二人に女が一人になっちゃうよ」

「だから、そういう数え方やめてくれない」

「じゃあ、どう数える？」

「だから、三人でいいじゃない、三人で」

美咲は本当に出ていった。引っ越しは、直輝がトラックを借りてきて、助手として私と良介が手伝った。ただ、美咲は未だに、このマンションにふらっとやってくる。そして気が向けば、リビングのソファに数日間泊まっていくこともある。良介でさえ、「え？美咲さんと直輝さんって、もう別れたの？」なんてことを訊くくらい、現在の二人の関係を人に説明するのは難しい。まあ、説明するのが簡単な関係なんて、あってもなくてもいいようなものだが、それにしても、美咲がたまにやってくることを、素直に喜んでいる直輝も変わっているし、別の男と暮らしていながら、昔の男の家に来て、「やっぱりここが一番ホッとするわ」などと、本気でくつろいでいる美咲という女も、やはり変わっているのだと思う。

3・7

ひどい二日酔いで、ボルヴィックのボトルを抱えてリビングのソファに倒れ込んでいた。テーブルには『美容室に行ってくる』と書かれた琴のメモがあり、その裏側に『暇だからついていく・サトル』という文章もついていた。

玄関のチャイムが鳴ったのは、お昼を少し過ぎた頃だった。這《は》うようにして玄関へ行き、重いドアを開けると、制服の警官が二人立っていた。

真っ昼間だというのに、寝癖のついた髪、よれよれのパジャマ、それに決して良いとはいえない私の顔色を見て、彼らは私が病床に臥《ふ》せっていたとでも思ったのだろう。手短に訪問の意図を伝えると、「では、お大事に」と二人同時に敬礼して帰った。

最近この近辺で、帰宅途中の女性がとつぜん背後から男に襲われ、顔を殴られるという事件が立て続けに二件も起こっているらしかった。一人目の女性は、幸い軽い怪我《けが》で済んだのだが、先日起こった二人目の女性は、鼻の骨を折られていたという。二件とも、犯行現場は駅の反対側だが、夜間の一人歩きにはくれぐれも注意するように、できれば男性を伴うように、と警官は言った。

私はリビングのソファに戻り、テーブルに置かれたメモを見て、『琴にも注意するように言っとかなきゃ』と心の中で呟いた。そして、「あ、そうだ！」と、今度は声に出して言った。「こちらは、お一人住まいですか？」と警官に訊かれた時、「いいえ、友達と」と私は答えた。警官が、「女性お二人で？」と続けて訊くので、「いいえ、男が二人に、女が二人、合わせて四人です」と答えたのだ。

私はテーブルのメモを取って裏を見た。そこには『暇だからついていく』と書かれた子供っぽいサトルの字がある。

3・8

どうせ売れやしないのだけれど、琴に付き合ってもらい、井の頭公園の池のほとりでイラストを売っていた。黒い布を広げ、最近の作品（男の臍を中心としたもの）を並べて客が来るのを待っていると、白髪混じりの上品そうな初老の男性が近寄ってきて、一点一点、念入りに私の作品を眺め始めた。琴を横に座らせておくと、びっくりするくらい男が寄ってくる。

もちろん作品を眺めるふりをして、琴を盗み見ているのだが、その初老の男性は、前にいる琴には目もくれず、一心に私の作品を鑑賞していた。

「なんか気に入ったのあります？」

男のあまりの熱心さに緊張してしまい、いつもなら放っておくのだが、私はつい声をかけてしまった。男はそれでも顔を上げず、私の作品を見続けた。

結局、男はなんの感想も告げぬまま、私たちの前から離れていった。「なんなのよ、今の」と琴が言うので、「気に入らなかったんじゃないの」と私は負け惜しみにそう答えた。

自分がどれほど誰かに認めてもらいたがっているか、この時ほど思い知らされたことはない。実は彼が、銀座か青山の画商、もしくはNY在住のキュレーターで、私の才能を見抜いてくれた最初の人になるのかもしれないと、私は公園の冷たい石の上で、恥ずかしいくらい期待していたのだ。

これまでに公園や路上でイラストが売れたことはない。たまにオヤジが酔狂で買ってくれようとすることはあるが、そのような場合は丁重にお断りすることにしている。そんな時、私のイラストなど、やはりまだまだなのだと思う。いつの日か、酔った男たちが買えないどころか、正視することもできないようなイラストを描いてみたいと思う。

何も言わずに立ち去ったその初老の男性が、再び私たちの元へ戻ってきたのは、それから一時間後のことだった。私たちの前まで来ると、また何も言わずに、ただ私の作品を丹念に眺め始める。どれくらい眺めていたのか、ふと顔を上げた男が、「これ、臍?」と言った。私は慌てて、「え、ええ」と答えた。

「な〜んだぁ、臍かぁ。言われてみれば、臍だよねぇ」

男はそう言うと、そのままどこかへ行ってしまった。

「臍かぁ、だって」と琴が笑い出したので、私もつられて一緒に笑った。

たとえば悔しさという感情を、笑い飛ばすこと以外の方法で、乗り越えられる術《すべ》はないのだろうか?

3・9

きのうの夜、とつぜん良介から集合がかかり、全員がリビングに顔を揃えた。もちろん私と直輝はほろ酔い加減で、琴は最近かなり凝っているらしい「バイオハザード2」を、ご出勤前のサトルとやりながら、リビングに仁王立ちした良介の話に耳を傾けた。

良介の話によれば、今週末、洗濯機をくれた梅崎という先輩の彼女をここに招待し、みんなで食事会を開くことにしたので、各自スケジュールを調整し、ぜひとも参加してほしいということだった。

一同が、「別にいいけど」と口を揃えてそれぞれの部屋へ戻ろうとすると、「あ、ちょっと待った。頼みたいことはそれだけじゃないんだ」と、慌てて良介が呼び止める。

「何よ？」と、私は苛々と尋ねた。

「まさか、梅崎から彼女を横取りするから、その協力をしろって言うんじゃないだろうな」と直輝が言い、その言葉を受けて、「なんか彼女に言ってほしいことでもあるわけ？」と琴が、「たとえば、良介くんはここがすごいんですってセールスポイントとか？」とサトルが笑った。

良介が一瞬怯《ひる》んだところを見ると、みんなの予想はずばり的中したらしかった。

「で、なんて言ってほしいのよ？」と笑いながら私が訊くと、「こう見えて、実は男らしくて、しっかりしてる、とか？」と琴が笑う。

「でも、そんなんで騙される女なんて、たいした女じゃないような気がするけどなぁ」

そう言ったサトルに、誰もが深く肯いた。十八にしては、なかなか女を見る目がある。

直輝が、「なんか言ってほしいことがあれば、紙にでも書き出しとけよ」と笑いながら、男部屋へ戻ろうとしたその時、「あ、それならあるんだ」と、良介が何やら書かれた用紙を取り出した。

良介は、食事会の台本を、すでに全員分コピーしていた。A4用紙で五枚にも及ぶ力作で、その貴和子という先輩の彼女を、良介がみんなに紹介するところから始まっていた。各科白の上には、それぞれ発言者の名前までついている。

もちろん私と直輝は、「あほくさッ」と一蹴して部屋へ戻ったのだが、暇人というのは恐ろしいもので、琴とサトルは、俄然やる気を出し、お互いに一人二役をこなして、「ちょっとクサすぎる！」「今んとこ、もう一回！」などと、良介に厳しく注意されながら、夜中まで練習を続けていた。

私はなるべくリビングでの学芸会を気にしないように、女部屋でイラストを描いていたのだが、「良介くんって、好きな人が一番好きなものを愛してしまうところがあるよね」という科白を繰り返す琴の声が、妙に耳についてしまい、まったく作業が捗《はかど》らなかった。好きな人というのは、おそらく梅崎という先輩のことなのだろう。それにしても、こんな科白が飛び交う食卓で、食事をさせられる貴和子という人が、私には不憫《ふびん》で仕方なかった。

しばらくイラストに熱中していると、まるで宝塚の舞台にでも立っているような声で、「俺、ときどき思うんだ。自分さえよければいいって、そうやって生きていける人間になりたいって」と叫ぶサトルの声が聞こえ、その声に、男部屋で眠りを邪魔されているらしい直輝の「うるさい！　そう思ってるから騒いでんだろ！」と叫び返す声が重なった。たしか直輝は、明日の朝、フランスから来日する監督を迎えに、成田へ行かなければならないはずだ。

私は、眠れずに寝返りを繰り返しているだろう直輝の姿を想像しながら、先日イラストの参考に撮影させてもらった良介とサトルの背中の写真を机に並べた。

3・10

去年までマリネママの店に、剣也《けんや》という勇ましい名前のオカマが働いていた。剣ちゃんとは大親友で、このマンションへ来る前、私がまだ祐天寺《ゆうてんじ》で一人暮らしをしていた頃、女房持ちの彼氏に捨てられた剣ちゃんを、一時期、居候《いそうろう》させていたこともある。

昨夜は、剣ちゃんの三回忌だった。

剣ちゃんは、酔って店から外へ飛び出したところを、タクシーに撥《は》ねられて死んだ。いつものように女房持ちの男に惚れ、残酷な捨てられ方をしたばかりで、かなりご乱心だったという。店の外で、ドンと鈍い音がしたので、マリネママや店にいた客たちが慌てて表へ出てみると、停車したタクシーの先、道路の真ん中に女装姿の剣ちゃんが倒れていた。みんなが低い悲鳴を上げながら駆け寄ると、剣ちゃんは一度だけ瞼《まぶた》を開き、「大丈夫よ。大丈夫」と笑って、そのまま意識を失った。「電柱の脇に、剣ちゃんの赤いハイヒールが落ちてたのよ」とマリネママは言う。

地元仙台での葬式に、もちろん私も参列させてもらった。ママや剣ちゃんの友達も一緒に行ったのだが、「あの子、親には広告代理店で働いてるって言ってあるのよ。だから、あんただけ入って私たちの分まで手を合わせてきて」と他の参列者に気を遣い、結局、葬儀場の外の通り向かいから、出棺だけを見送ることになった。

剣ちゃんが茶毘《だび》にふされるのを待つ間、私がロビーで煙草を吸っていると、剣ちゃんのお姉さんから声をかけられた。私は、わざわざ東京から駆けつけた唯一の女だった。自分自身を、どう紹介すればよいのか迷っていると、「知ってたんですよ」と先に彼女が言った。

「もちろん父は知らないでしょうけど、私と母はなんとなくあの子がどんな仕事しているのか気づいてて……、さっきも葬儀場の外にたくさんお友達がいらしてたでしょう？　声をかけに行かなきゃって、ずっと思ってたんだけど……。さっきね、母がこんなこと言ってたのよ。『あんなたくさんのお友達に囲まれてたんだから、剣也は幸せだったのよ』って」

私はただお姉さんの話を聞いていた。本当は、ここにマリネママがいなきゃいけないのに、と思いながら。

剣ちゃんのお姉さんから電話があり、『剣也が働いていた店に連れてってもらえないだろうか』と頼まれたのは、葬儀からちょうど半年後のことだった。訊けば、お母さんと二人で東京に出てきているという。私はすぐにマリネママに連絡を取った。

店に飾ってある看護婦姿の剣ちゃんの写真を見て、さすがに最初はお母さんもお姉さんも緊張していたのだが、二人ともお酒には強いらしく、剣ちゃんがいつも飲んでいたFour Rosesの黒のボトルをみんなで空けているうちに、だんだんと場の雰囲気も和《なご》んできて、「あの女はねぇ、女房持ちの男を好きになってはすぐにフラれてさ、学習ってもんがないのよ。きっと海馬《かいば》がぶっ壊れてんのね」などと、すっかり遠慮のなくなったマリネママを相手に、「あら、それってうちの血筋よ。私だって、略奪愛であの子の父親と結婚したんだもん」と、お母さんも負けじと言い返すようになっていた。

剣ちゃんの思い出話は夜遅くまで続き、お母さんとお姉さんはすっかりマリネママの店を気に入って仙台に帰った。

昨夜、店で行われた剣ちゃんの三回忌にも、もちろん二人は出席していた。私が初めて連れていった夜が嘘のように、今ではお母さんがカウンターに入ってママと一緒に客のお酒を作っていたし、お姉さんはお姉さんで、私がいつも剣ちゃんと組んで披露していたWink

の「Boys don't cry」を完璧に踊り、歌えるようになっていた。

仙台での剣ちゃんの葬儀から戻った夜、私はその悲しみをどうしていいのか分からずに、ちょうど一緒に暮らし始めたばかりだった良介に頼み込み、桃子でドライブに連れ出してもらった。

良介には、大切な友達が死んだことを話していなかった。ただ、10㎞ごとに停まってもいいから、とにかく朝まで車を走らせてほしいと頼んだ。良介は助手席で泣きじゃくる私に何も訊こうとはせず、私が頼んだ通りに、黙ってドライブを続けてくれた。ただ一度だけ、晴《は》海《み》のガソリンスタンドで給油をした時、「やっぱり深酒する人ってのは、涙の出が違うねぇ」と冗談を言った。私はあの晩の良介に感謝している。彼がそばにいてくれて、本当によかったと思っている。

そういえば、二ヶ月ほど前だったか、珍しく良介からドライブに誘われ、朝方まであちこち連れ回されたことがあった。黙ってハンドルを握る良介に、「なんかあったの?」と何度か尋ねたが、良介は「別に」と答えるだけだった。代わりに、「ねぇ、『ディズニーシー』っていつ頃、オープンだっけ?」と訊くので、「行くの?」と逆に尋ねると、「いや、中学ん時の友達が来るんだって」と答えた。私は興味がないから知らないと言った。「あ、そう」と良介もそれ以上は何も言わなかった。

3・11

弁当屋でカラス弁当を買ってうちへ戻ると、リビングで琴とサトルが、駅前商店街の新名称募集に応募しようと、真剣にその名前を考えていた。なんでも選ばれると賞金百万円がもらえるらしい。

「千歳烏山だから『カァカァ通り』は？」

「そんなの百人くらい考えてるわよ」

昼間ずっと一緒にいるせいか、サトルと琴は最近とても仲がいい。

そういえば、この一週間、実家の母からの電話がない。ないに越したことはないのだが、なければないで心配にもなる。最後にかかってきたのはたしか、十日ほど前のことで、私が仕事から戻ると、「今日の昼間、お母さんから電話あったよ」と琴が教えてくれた。

「なんか言ってた？」と訊くと、「別に何も言ってなかったけど、ちょっと酔ってたみたい。ケラケラ楽しそうに笑ってたから」と平然と言う。

昼の二時に、酒に酔ってケラケラ笑いながら電話をかけてくる私の母親を、琴は楽しそうだったと言う。

ときどき、ぜんぶ冗談ならいいのに、と思う。たとえば、父が乱暴に閉めるドアの音に脅える母の姿とか、酒臭い息を吐く母の腕を摑み、叱りつける父の姿とか、そこから逃げ出し、二階の部屋で泣いている自分の姿とか、そういった数々の思い出のシーンに、たとえばバカ殿に扮《ふん》した志村けんの登場曲のような、間の抜けたBGMでもつけばいいのに、とときどき思う。

高校の頃だったと思う。私は、嫌がる母を無理やり押さえつけているらしい父が、「そのための女房だろ」と脅す低い声を、偶然ジュースを取りに降りた台所で、襖越《ふすまご》しに聞いたことがある。

3・12

休日の朝、久しぶりに気分よく目が覚めたので、冬物の整理をすることにした。日頃、琴がこまめに掃除機をかけてくれるお陰で、女部屋とリビングは舐めてもいいくらい磨き上げられている。

押入れを開け、段ボール箱に厚手のコートやセーターを押し込んでいると、中から古いバッグが出てきた。中身が何であるかは、開けなくても分かる。ローソンのビニール袋に、まるでゴミのように突っ込まれたSONYの１２０分ビデオテープが入っているはずだ。

そして、そのビデオテープには、私が知っている限りの映画に出てくるレイプシーンが録画されている。ちょうど『ニュー・シネマ・パラダイス』という映画のラストで主人公が観る、キスシーンばかりを繋ぎ合わせたフィルムのように、何十という映画のレイプシーンばかりが、このSONYの１２０分テープにはまとめられている。『告発の行方』ではジョディ・フォスターがピンボールマシンの上で犯される。『時計じかけのオレンジ』では「雨に唄えば」のリズムに乗って女が犯される。『ブルックリン最終出口』『ブルーベルベット』『テルマ&ルイーズ』どの女も「お願い、やめてぇ」と泣き喚く。『わらの犬』『処刑教室』男が復讐劇のヒーローを演じるためにも女は犯される。グリナウェイの『ベイビー・オブ・マコン』ベルイマンの『処女の泉』。吐き気がするほど、次々と女たちが犯されていく。他のシーンは一切ない。ただ、レイプシーンだけが延々と続く。このテープを観ただけでは、犯されているのがどんな素性の女なのか、たとえば、どんな家に住み、どんな仕事をし、どんな花を好み、どんな夢を抱いているのか、結婚しているのか、子供がいるのか、そういった一切の情報が伝わってこない。ただ必死に身を捩《よじ》り、男たちから逃れようとしている女たちの姿だけが映っている。

このマンションで、美咲や直輝と暮らすようになって以来、私はこのテープを観ないようになった。まだ祐天寺で一人暮らしをしていた時は、ときどきどうしても眠れなくなった夜、このテープに手が伸びた。

これら繋ぎ合わされたレイプシーンを観ていると、私は不思議と気分が落ち着いた。残酷だ、悲惨だ、可哀相だと思う気持ちは次第に失せて、犯される女たちの表情が、まるでお祭りで浮かれているようにさえ見えてきた。何かに脅え、眠れずにいる自分の臆病さが、だんだんと麻痺していくのが感じられた。男たちの手で口を塞がれ、手足を強く押さえられ、股を広げられ、悲鳴も上げられずにもがいている、自分ではない女たちの姿が、まるで音楽に合わせて踊ってでもいるように、楽しげに見えてくるまで見続けていた。

3・13

ほろ酔い加減で帰宅した直輝にまとわりつき、「月末のバイト代で絶対に返すから」と、良介が三万円借りようとしている様子を、私と琴はソファでアイスクリームを舐めながら、面白がって見物していた。

「なんに使うんだよ？」

男部屋でスーツを脱いでいるらしい直輝の声に、その横で背広をハンガーにでもかけてやっているのか、「だから、そこをなんとか」と良介が食い下がっている。

「なんに使うか言えば貸してやるよ」

そう言いながら、パンツ一枚でリビングに出てきた直輝のあとを、バスタオルを持った良介が追いかけてきた。

「ほんとに言えば貸してくれる？」

「ああ、貸すよ。ヘンな金じゃなければ」

「ヘンな金じゃないよ。デート代だよ、デート代」

「デート代？　貴和子ちゃんと？」

「そうだよ。他に誰がいるよ」

隣で抹茶アイスを舐めていた琴が、「良介くんね、さっきサトルくんにも頼んでたのよ」と呆れて言うので、私は思わず、「あんた、十八の子にまでお金の無心してんの？　プライドってもんないの」と言ってやった。

「だってあいつ、すげぇ金持ってんだもん」

そう言った良介に、「そうなのよ。一緒にパチンコ行っても、ポケットから一万円札が出てくる出てくる」と琴が強く肯いた。

今どきの男娼というのは、そんなに羽振りがいいのだろうかと考えながら、私は、「ふ〜ん」とだけ答えておいた。

直輝は良介の手からバスタオルを奪うと、「分かったよ。貸してやるよ」と言って風呂場へ入った。閉められたドアの前で、良介が大袈裟《おおげさ》にガッツポーズをとる。

「三万円も借りて、どこ行くのよ?」

そう尋ねた私に、良介は、「内緒だよ、内緒」とおどけた顔をして男部屋へ入ってしまった。「あれって一種の才能だよね」と横で琴が呟くので、「あれって何よ?」と尋ねると、「あの甘え上手なところよ」と笑う。

たしかに良介にはそんなところがある。本人に自覚がないからこそ、そう思わせるのだろうが、ときどき腹が立つほど、放っておけなくなってしまう。あの才能だけで、一生うまくやっていけるのではないだろうか。

そういえば、先日、良介が噂の貴和子ちゃんをここへ連れてきた。私が仕事から戻った時には、すでに良介原作の猿芝居も、琴やサトルがまるで九官鳥のように自分の科白を繰り返したため、すっかり彼女に見破られてしまったあとで、貴和子ちゃんはリビングへ入ってきた私に縋《すが》りつくように、「もうこれ以上、棒読みの科白は勘弁して下さい」と訴えてきた。

貴和子ちゃんに会うまでは、梅崎という彼氏がいながら、その後輩である良介にまで手を出しているなんて、一体どんな嫌な女だろうかと思っていたが、予想に反して、彼女はかなり好感の持てる女性だった。あれでは良介がイカれてしまうのも無理はないし、彼女なら多分に甘ったれたところのある良介を、立派な男に育て上げてくれるのではないかと、つい期待さえしてしまう。もちろん私の言う立派な男とは、ぜんぜん立派ではない「男」のことだ。

その夜、みんなで賑《にぎ》やかに食事をしたあと、歩いて二十分もかかる駐車場に良介が桃子を取りに行っている間、私は貴和子ちゃんと二人、マンションのエントランスで立ち話をした。

貴和子ちゃんが一緒に暮らしているというミュージシャン志望の弟の話をしている最中、「あ、そうだ。未来さんだから訊いちゃうけど、良介くんってナイーブっていうか……、たとえば、急に泣き出したりするようなことある？」ととつぜん訊いてきた。

「急に泣き出す？」

「そう。ない？」

「さぁ、見たことないけど……。そんなことあったの？」

「ううん。ないんだけど……」

そう言って彼女が口籠もったところに、良介が運転する桃子が横付けされた。窓を開け、

「お待たせぇ」と声をかけてきた良介の能天気な顔からは、とつぜん涙を流すようなナイーブさなど、やはり微塵も感じられなかった。

3・14

男子高野球部の寮母になるのが一生の夢だ、と公言するラウラを連れて、新宿二丁目の店をハシゴしている最中、仕事にあぶれたらしいサトルが、同僚の少年と公園のベンチに座っている姿を見かけた。

驚かせてやろうと思い、足音を忍ばせて公園の柵を越え、ベンチの裏へ回り込むと、やたら熱弁をふるっているサトルの声が聞こえる。私は茂みから飛び出そうとしたラウラを押さえ、しばらく二人の会話を聞くことにした。

「で、そいつに手足を縛られて、茶巾《ちゃきん》寿司みたいな格好で床に転がされてたらさ、たぶん隣の部屋に隠れてたんだろうな、同じようにプロレスラーみたいなのが三人も出てきちゃってさ」

「マジ？　で、全員にヤられたの？」

「ヤられるどころか、蹴られるわ、殴られるわ、翌朝、病院行ったんだぞ」

「金は？」

「金はもらえたけど、一週間くらい肛門からは血が出るし、顔に痣《あざ》があるから誰も買ってくれないし、散々だったよ」

「俺たちさ、いつか絶対に殺されるよな」

「殺されるか、売れなくなるかのどっちかだよ」

　やぶ蚊と闘っていたラウラが、パチンと音を立てて腕を叩いた。その音に、反射的に振り返ったサトルたちが、慌てて逃げ出そうとした。私は笑いながら、「警察じゃないわよ。私よ！」と、駆け出した二人を呼び止めた。

　その後、サトルと、もう一人の誠《まこと》と名乗る少年を連れて飲み歩いた。何軒目の店でだったか、神戸で菓子メーカーを経営しているという羽振りのいい男と知り合い、店を借り切っての大カラオケ大会となった。年配の客たちに、「脱げ、脱げ」と囃《はや》し立てられ、カウンターでストリップを披露し始めたサトルの横で、私も負けじと、十八番のナツメロ、河合奈保子《かわいなおこ》の「スマイル・フォー・ミー」を熱唱した。

　たぶんサトルたちは、私たちと会う前に何かやっていたのだと思う。かなりハイになっていて、素っ裸のまま外へ飛び出したかと思うと、店の前で「組み体操」なんかをやったりしていた。

その店で何時まで飲んでいたのか覚えていない。ただ、サトルに背負われて、次の店へ移動したことは覚えている。

次に意識を取り戻した時には、すでにタクシーの中だった。横にサトルが座っていて、「ここ、どこ?」と私が尋ねると、「まだ乗ったばっかりだよ。伊勢丹の横」と答えた。

「やだぁ、私、まだ飲めるわよ! 運転手さん、戻って戻って!」

暴れる私をサトルが押さえつけていた。

「今夜、あったかいし、いい所に連れてってやろうか」

サトルがそう言い出したのは、車が甲州街道に入ろうとした辺りだった。「いい所って、ちゃんとお酒あるんでしょうね?」と私は尋ねたが、サトルは何も答えなかった。

東京で暮らして七年目に入るが、私は初めて日比谷公園に足を踏み入れた。サトルが言った通り、穏やかな春の夜で、園内に入ると、昼間の草いきれが肌に感じられるほど残っていた。黒い樹々《きぎ》に囲まれた広場を抜け、月を映す静かな噴水池の前に出た。水面に、私とサトルの二つの影が映っていた。サトルを真似て、水の表面に触れると、指先から広がった輪が、月の形を微《かす》かに揺らした。

サトルが案内してくれたのは、園内の野外音楽堂だった。「ここ?」と驚いて尋ねる私に、

「そう。この中」と柵の上を指差す。

「乗り越えるの？」

「そう」

サトルにお尻を押してもらい、私は高い柵を乗り越えた。

円形の舞台を囲むように、放射状に長いベンチが並んでいた。もちろん野外だから屋根はない。頭上には都心の紫色の空が広がっている。観客席は五百人くらいは楽に座れそうだった。そこにぽつんと私だけが立っていた。

遅れて柵を乗り越えてきたサトルが、「どう？　気に入った？」と訊くので、私はニコッと微笑んでみせ、「自信あるくせに」と答えた。サトルに手を引かれ、舞台の方まで客席を歩いていると、「ここに泊まることもあるんだよ」とサトルが言う。

「冬は寒いでしょ？」

「冬は無理だよ。こんな所で野宿したら死んじゃう」

「うちに来る前って、どこで寝泊まりしてたの？」

「いろいろ。サウナとか、友達の家とか……」

「お客の部屋とか？」

「そう」

私は舞台の上で寝転がってみた。久しぶりに、真っ直ぐに夜空を見上げたような気がした。横で膝を抱えているサトルが、ジーンズのポケットから、いろんな物をごそごそと取り出し、自分の周りに並べ始める。くしゃくしゃの一万円札、ガムの食べかすを包んだ銀紙、アーミーナイフ、針金、コンドーム……、潰れたマイルドセブンの箱にはガンジャが何本か混じっていた。サトルに火をつけてもらい、夜空を見上げたまま吸い込んだ。

「あんた、うちでも吸ってんの？」

紫色の煙がゆっくりと夜空へ昇っていた。

「吸ってないよ。前に一度吸おうとしたら、『ベランダに出ろ！』って直輝さんに叱られたから」

「そりゃ、そうよ。直輝なんて、健康のためにコーヒーだって口にしないんだから」

しばらく二人でぼんやりと夜空を見上げていると、「こういう時ってさ、子供の頃の思い出話とかするんだよね」と、サトルがぽつりと言った。

「したいの？」

私はそう茶化した。こういう時、私はいつも可愛らしさに欠ける。

「別に、したいわけじゃないよ」

「いいじゃない。せっかくだから、しなさいよ」

そう言ってサトルの肩を叩くと、「してもいいけど、どうせ、ぜんぶ作り話だよ」と彼は笑う。私はふと、『これから嘘をつきますよ』という嘘もあるんだ、と気がついた。

3・15

久しぶりに一滴も飲まずに仕事から帰ってくると、男部屋から良介とサトルの話し声がしていた。琴は、数週間ぶりに丸山くんとのデートに出かけているらしく、リビングのテーブルには化粧道具一式が散乱し、直輝はまだ仕事から戻っていないようだった。

私は洗面所でうがいをしたあと、珍しく誰もいないリビングにぽつんと座り、床のリモコンを拾い上げてテレビをつけた。二日連続で買ってきてしまったカラス弁当を食べていると、またテレビ画像が乱れ始めた。私は割り箸を咥えたまま立ち上がり、琴に教えられた通り、テレビの右側面を「強く、強く、弱く」叩いた。ついこの前まではザッピングを起こしても音声だけは聞き取れていたのだが、最近は画面の乱れと共に音声にまで雑音が入る。もう一度、「強く、強く、弱く」叩いた。映像は大きく歪んだあと、何事もなかったかのように元へ戻った。それと同時に、男部屋から良介の声が聞こえてきた。

「こんなこと言うの、ちょっと照れ臭いんだけど、俺さぁ、けっこう自分の親父のこと尊敬してるとこあってさぁ」

良介が、自分の父親を尊敬しているなんて話を、私はこれまでに一度も聞いたことがない。

「前にも言ったっけ？ うちが寿司屋だって。まあ、寿司屋はどうでもいいんだけど、とにかく、うちの親父ってのがさ、若い頃けっこう遊んでたみたいで、息子の口から言うのもあれだけど、親分肌っていうか、面倒見がいいっていうか、未だに若い頃の仲間っていうか、弟分みたいな人たちから、『兄さん、兄さん』なんて慕われててさ、ああいう姿を見せつけられちゃうと、なんていうか、人間としてさ、俺なんか絶対に超えられないなって思っちゃって、親父の前に出ると妙に萎縮《いしゅく》するっていうか、たとえば、ここでなんて答えれば親父は喜ぶだろうとか、どうやれば親父に認めてもらえるだろうとか、そんなことばっかり、未だに考えてるんだよね」

良介の青臭い話を、真面目に聞いているのかどうか、サトルの声は一切リビングには届いてこない。

「だから、なんていうかさ、わざわざ東京に出てきたのもさぁ、実はそんな親父に勝ちたいみたいなことを、無意識に考えてたのかもしれないなぁって思うんだ。かといって、東京に来たからって、俺のことを慕ってくれる奴なんて一人もいないし、自分が人に慕われるような人間になったなんて、どう考えても思えないしさ」

私は良介の妙に深刻ぶった告白を聞きながら、吹き出すのを必死に我慢していた。年下のサトルにまでデート代を貸してくれ、と平気で頼める彼が、まさか誰かに慕われることを願っていたなんて、考えただけで笑えた。

「ただecho俺、一度だけ、たった一度だけなんだけど、もしかしたら、俺ってこいつに頼りにされてんじゃないかな、って思ったことがあったんだ。そいつってのは、中学ん時の同級生で真也って奴なんだけど、そいつがさ、なんていうか、一度だけすげぇ頼ってくれたんだよね。……っていうか、たぶんあれは頼ってくれてたんだと思うんだけど……」

「で、どうしたの？　その真也って奴に頼られて」

サトルにそう訊かれた良介は、「え？……うん」と言ったきり、口籠もってしまったらしかった。しばらく沈黙が続いたあと、「頼りにならなかったんだ？」と、笑いを堪《こら》えたようなサトルの声が聞こえた。

「笑うなよ！……俺、思うんだけどさ、人に頼られてる時って……、人から真剣に頼られてる時って、頼られてる方は気づかないんじゃないかな。なんていうか、気づいてはいるんだけど、その人がどれくらい真剣に、どれくらい必死に自分のことを頼ってるか、そこまでは気づけないでいるんじゃないかな」

私は食べ終わった弁当箱をゴミ箱に捨て、シャワーを浴びようと下着を取りに女部屋に入った。『誰かに頼られてる時、人はそれに気づかないんじゃないか』と言った良介の言葉が、なぜかしら胸の隅に引っ掛かった。

新しい下着を持って再びリビングへ出ると、今度はサトルが何やら話をしていた。私は風呂場へ向かう途中、男部屋のドアの前に立ち止まり、サトルの声に耳を傾けた。

「俺さ、母一人、子一人で育っただろ。だから、なんていうか、なんでも相談できる兄弟みたいなのが欲しかったんだよね。別に日頃は喧嘩ばっかしてて、顔も見たくないって思ってるくらいでいいんだけど、ただ、どっかでさ、なんかあった時は、あいつに相談できるって思える奴がさ、近くでも遠くでもいいんだけど、そんな奴がいるんだって思えるだけで、なんていうか、たいていのことなら乗り越えられそうな気がするんだよね」

私は馬鹿らしくなってドアの前から立ち去った。世の男子たちが、司馬遷《しばせん》の「史記」や東映Vシネマを好む理由がよ〜く分かった。それにしても、サトルという奴は、とんだ食わせ者だ。たしか琴には、「俺の両親って、未だに大恋愛中みたいだよ」と、その詳細を語って聞かせ、目下大恋愛中の琴を、大いにうっとりさせたということだったし、直輝とは小学校と中学校が同じだと言って、近所にあったという廃墟と化した古い病院の話で盛り上がっていた。一体どれが本当の話なのか分かったものじゃない。

つい先日、夜中に連れていってもらった日比谷公園の野外音楽堂で、思い出話を「してもいいけど、どうせ、ぜんぶ作り話だよ」と笑ったサトルの顔が目に浮かぶ。おそらく彼に悪気はないのだろう。過去の話になど、まったく敬意を払わない、私に似たタイプの人間なのだろう。それにしても、サトルはちょっとやりすぎだ。彼が語る偽史はあまりにも相手をうっとりとさせる。

3・16

仕事から戻り、一日中立ちっぱなしでパンパンに張った脚を床に伸ばして揉んでいると、妙にそわそわした琴が女部屋から出てきて、リビングと台所の間を行ったり来たりし始めた。

「目障りねぇ」

私がそう抗議すると、琴は一瞬立ち止まったが、「よくそんな呑気にしてられるわね！」とまた歩き出した。

「何が？」

「だって今、良介くん、潜入捜査に行ってんのよ」

琴にそう言われて思い出した。今朝方、極度の緊張で一睡もできなかったらしい良介が、充血した目で男部屋から出てきて、「やっぱ俺には荷が重すぎるよぉ」と弱音を吐いていた。二人の計画では女をあてがわれた時点で任務終了。女には指一本触れずに現場を出てくることになっていたらしいのだが、極度に緊張した良介の様子を見る限りでは、彼には彼なりの別の計画があるらしかった。

玄関で物音がしたのはその時だ。すかさずリビングを駆け出た琴が、「どうだった？　やっぱりクロ？」と尋ねる声がした。私は女を抱いた直後の良介が、どんな顔をしているのか見たくて、興味半分で玄関へ向かった。

良介はリビングから飛び出してきた琴と私の顔を順番に見つめると、「なにが売春宿だよ！」と叫んだ。

「違ったの？　売春宿じゃなかったの？」と琴が訊く。

「違うよ！　売春宿じゃなくて、占いの館だよ！」

「え？」

「あの人、占師なんだって！　それもすげぇ当たるって噂の、知る人ぞ知る有名な人で、満月と新月の前後三日間だけしか占わなくて、特に十代の女性と六十代の男性に関する占いは百発百中なんだって」

琴の金で女を抱き損ねた良介の、怒り半分、安堵《あんど》半分の声を聞きながら、私は腹を抱えて笑い出していた。

良介の話では、緊張して入った402号室の内部は薄暗く、赤いランプなんかがついていたらしい。良介はそのまま待合室みたいな小部屋へ案内されたという。中へ入ると、若い女が座っていた。『ああ、絶対そうだ。この子とヤるんだ』と確信した良介が、破れそうな心臓を押さえていると、例の男が現れて、「名前と生年月日を記入してくれ」と白い紙を渡されたらしい。良介は『なんで女を買うのに名前や生年月日が必要なんだろう？』と疑い、用心のために嘘を記入することにした。しかし、根が真面目なのか、咄嗟の機転がきかないのか、男に見つめられたままの状態ではその偽名がまったく浮かんでこない。焦った良介は、思わず直輝の名前と生年月日を書いてしまったという。書き終わると、男に連れられて奥の部屋へ向かった。水晶が置かれたテーブルがあり、足元には猫が五、六匹いたらしい。

「で、なに？　二万円払って、直輝の運勢を占ってもらってきたの？」

私は必死に笑いを堪えてそう尋ねた。

「そうだよ！　だって断れないだろ。まさか、そんな状況で、『違う！　早く女を抱かせろ！』なんて言えないだろ！」

横で琴が真っ青な顔をしているので、占いに二万円も自腹を切ったのがさぞかし痛かったのだろうと思い、「仕方ないじゃない。もう戻ってこないんだから」と慰めてやった。しかし琴は、二万円ではなく、別のことに憤慨していた。

「ってことはよ、あのエロダコが来てたってことはよ、うちの隣で日本の政治が決められてるわけ？」

「そ、そうなるかも……、隣の奴はラスプーチンなんだよ」

良介も、琴のなけなしの二万円を無駄にしたことに、多少反省はしているらしく、二万円ではなく、日本の政治へと琴が関心を寄せたことをいいことに、勢いづいてそう答えた。私はほとほと馬鹿らしくなってリビングを出た。リビングでは良介が帝政ロシア崩壊の話まで始めていた。

3・17

仕事帰りに渋谷の出力センターに寄って、注文しておいた作品の印刷を受け取り、いつものように、指示通りでない紙に、指示通りでない色を使われていることに文句を並べて帰ってきた。どうして出力センターのバイトというのは、いつもいつも、これだけはやらないで、と注文したことを、確実にきっちりとやってくれるのだろうか。

苛々したまま家へ戻ると、久しぶりに美咲が遊びに来ていた。仕事帰りに直接寄ったらしくスーツ姿のままで、リビングには彼女の他に、琴とサトルがいた。

三人は、明日が応募の締め切りらしい駅前商店街の新しい呼び名を、顔を突き合わせて考えていた。

「あら、早かったじゃない。どうせまた飲んで帰ってくると思ってたのに」

美咲に迎えられながら、私はリビングのソファに腰を下ろした。横に座っていたサトルが、『Kロード』『フェルナンド通り』と書かれた二枚の紙をひらひらと揺らして見せるので、『Kロード』を指で弾《はじ》き、同時に、「なんでフェルナンドよ？」と尋ねた。

「美咲さんが好きなポルトガルの詩人の名前なんだって」とサトルが言う。

「どうして鳥山の商店街に、あんたが好きな詩人の名前をつけちゃうわけ？」

私が呆れて尋ねると、「だって、サトルくんがなんでもいいって言うんだもん」と美咲が口を尖らせる。

美咲とサトルは、今夜が初対面のはずである。それなのに、顔を寄せ合い、紙に書かれた候補名を見比べる二人の姿は、まるで仲の良い姉弟のように見える。

「あんたが来てること、直輝、知ってんの?」

私は、どう見ても当選しそうにない候補名が並ぶ紙を手に取りながら、そう尋ねた。

「昼間、会社に電話したから。もうすぐ帰ってくるんじゃないかな」

「泊まってくの?」

「と思ってたんだけど、このソファ、サトルくんに取られちゃったから」

美咲が冗談混じりにそう言うと、「俺なら心配しなくていいよ。一晩くらい泊まるところあるし」とサトルが慌てて遠慮し、「良介くんたちの部屋で寝ればいいじゃない」と横から口を挟んだ琴に、「やだよ、あの部屋」ときっぱりと答えた。

「なんで?」

「だって、良介くんは寝相悪いし、直輝さんの寝言はうるさいし」

サトルの意見に、「うるさいっていうより、気味悪いのよね」と美咲が笑った。

正面で琴が顔を傾けているので、何をしているのかと思ったら、私が手にした紙の裏側を読んでいるらしかった。ひっくり返してみると、『夜間の一人歩きに注意!』と大きく書かれた、最近この近辺で続発している若い女性だけを狙った暴行事件の警告書だった。

紙には駅近辺の地図が描かれ、これまでの犯行現場に×印がついていた。先日、警官が来た時には二件だったが、すでに地図には×印が三つある。

「あ、それね、駅前で配ってたのよ」

美咲がそう言いながら、私の手から紙を奪う。

「物騒よねぇ。琴ちゃんや未来も気をつけないと」

「でもさぁ、犯人の特徴がぜんぜん分からないってのが怖いよね。いきなり後ろから襲われたら、ちゃんと相手の顔を見る余裕なんてないんだろうけど」

私は、美咲の手からその紙を奪い返した。

「あ、そうだ。この三人目の被害者って、西友の前にカラオケ屋あるでしょ、あそこでバイトしてた女の子なんだって」

そう言いながら、私はそのカラオケ屋に琴と行ったことがあったのを思い出し、「ほら、覚えてない？　前に二人で行った時、受付にいた子で、二千円でいいのに、お釣りに二万円くれそうになった子、いたじゃない？」と尋ねた。琴はあまり興味がないらしく、「いたっけ、そんな子？」と答えたきり、話に加わってこようとしなかった。横にいたサトルが、「なんで知ってんの？」と訊くので、「弁当屋のお兄ちゃんが教えてくれたのよ」と私は答えた。

カラス弁当を売っている弁当屋のお兄ちゃんの話では、これまでで一番被害がひどかったらしい。気絶しているところを通行人に発見された時、その女の子の顔は、目や鼻や口が、まるで違う場所についているように見えるほど変形し、その近くに血まみれの石が落ちていたという。

話の途中、「あ、そうだ。出勤前にシャワー浴びなきゃ」と、サトルが風呂場へ姿を消した。サトルの背中を目で追った美咲が、「ねぇ、『出勤前に』って、あの子、働いてんの？」と訊くので、「そりゃ、働いてるわよ」と私は答えた。

「何やってんのよ、こんな時間から」

「バーかなんかで働いてるみたいよ」と答えたのは琴だった。

「バー？　あの歳で働けんの？」

大袈裟に目を丸くした美咲に、「十八なら働けるでしょ？」と、琴が言う。

「え？　もう十八なの？」

「あんた、いくつだと思ってたのよ？」

私がそう尋ねると、美咲は風呂の方を見遣《みや》り、「まだ十五くらいかと思ってた」と言った。

「十五だと思ったんだったら、バーで働けるかどうか疑問に思う前に、なんでここで暮らしてるのか不思議に思いなさいよ」

私がそう言うと、美咲は、「それもそうね」と呑気に笑った。

3・18

夜中にふと嫌な感じがして目が覚めた。毛布を引き寄せ、改めて目を閉じてみたのだが、どうも眠れそうにない。ベッドの下からは、微かな琴の寝息が聞こえていた。

私はベッドから降りて、リビングへの扉を静かに開けた。カーテンの隙間から差し込む街の灯りで、ソファに眠る美咲の顔が青白く浮かび上がっていた。「今夜は戻らないから、ソファ使っていいよ」と言って出かけたサトルの姿はない。

サトルが出かけたあと、直輝が仕事から戻るのを待って、みんなで焼肉屋へ行った。たらふく食べ、たらふく飲んで帰ってくると、良介がバイトから戻っていた。焼肉屋の帰りに買ってきた苺を抓みながら、一時頃までみんなでワインを飲み、順番にシャワーを浴びて、それぞれの寝床へ入った。

薄暗いリビングへ出た私は、ぐっすりと眠っている美咲の横に腰を下ろし、琴とサトルが考えた商店街の名称がいくつも書かれた紙を広げ、その裏面を、改めて光に当てて読んでみた。さっきベッドの中でふと気づいたことは、やはり私の思い違いなんかではなかった。京王線の線路脇で、二十二歳の女性がとつぜん背後から襲ってきた男に顔面を殴られるという最初の事件から、すでに二ヶ月が経とうとしている。

私はその紙を握り締めると、美咲を起こさないようにリビングを抜け、男部屋のドアを開けた。相変わらず寝相の悪い良介が、布団から落ちるどころか、ドアを開けた私のすぐ足元まで転がってきていた。私は良介の体を跨いで部屋に入った。直輝はロフト式のパイプベッドで、鼾寸前の寝息を立てていた。顔を覗き込み、軽く頬を叩くと、「ん？　ん？」と何度か寝惚けた声を出したあと、「な、なんだよ？」と驚いたように私に目を向ける。

「ねぇ、ちょっとこれ見て」

私は遠慮なく蛍光灯の紐を引っ張った。この程度で良介が目を覚ます心配はない。蛍光灯の明かりに、直輝は眩《まぶ》しそうに何度か目をしばたかせたあと、私が突き出した紙を受け取った。

「なんだよ、これ」

「この日付見て、なんか気づかない？」

私がそう告げると、一瞬、直輝の表情が硬くなった。

「日付？」

「ほら、最初の事件からそろそろ二ヶ月」

「二ヶ月？」

「そう。サトルがうちで暮らすようになったのが、ちょうどその頃」

「サトル？　ちょっと待てよ。あいつがここに来たの、もっと最近じゃなかったか？」

「そうだっけ？」

「そうだよ」

直輝はそう言うと、「まったく、なんなんだよ、こんな夜中に」と、剝《は》ぎ取られた毛布を引っ張り、さっさと目を閉じてしまった。

言われてみれば、この三件目の犯行が行われた五日前も、私はずっとサトルと一緒だった。店の定休日だったので、夕方からサトルを連れ出し、渋谷で開催中だった「チベット仏教美術展」を鑑賞したあと、嫌がるサトルをそのまま引き連れ、犯行が行われた午前三時どころか、朝の四時まで飲み歩いたのが、たしか五日前だ。

ちょっと恥ずかしくなった私は、そっと蛍光灯を消して男部屋を出た。リビングを抜けようとすると、寝ているとばかり思っていた美咲が、「あんた、山村美紗《やまむらみさ》かなんか読んでたんでしょ？」と笑う。ビクッと足を止めた私は、「読んでないわよ」と言い返した。

「世の中ねぇ、そうそう『火曜サスペンス』みたいに事件に巻き込まれるもんじゃないって。それともなに、サトルくんを犯人にして、ここから追い出そうとでも思ったわけ？」

美咲はそう言うと、ソファで寝返りを打った。

3・19

午前中からテンションの高い美咲が、どこかピクニックへ行きたいと言い出し、まだ寝ていた良介と直輝を叩き起こして、みんなで砧《きぬた》公園へ行くことになった。珍しくみんなが揃ったのだから一緒に来ればいいものを、「灼《や》けちゃうから」という理由で、琴は家に残ると言い張り、一人でサトルの帰りを待つことになった。もしもサトルが午前中に戻ってきたら、砧公園に来るように言っといて、と伝言を頼み、私たちはみんなで良介の桃子に乗り込んだ。日曜日に店を休むのは久しぶりだった。

青空の下、砧公園の眩《まばゆ》いくらいの芝生には、家族連れがあちらこちらにシートを広げ、その周りを幼い子供たちが走り回っていた。

出かける前に、琴が手際よく作ってくれたサンドイッチは、正午を待たず、すでに良介と直輝が半分以上食べてしまっている。

しばらく四人並んでラグマットに寝転がっていたのだが、転がってきたボールを拾いにきた双子《ふたご》の男の子たちを相手に、いつの間にか美咲と良介がキャッチボールを始めていた。美咲と良介の間で、お揃いの服を着た男の子たちが、「キャッ、キャッ」と歓声を上げてボールを追いかけている。そんな二人をラグマットに寝転んだ直輝が、私の横でぼんやりと眺めていた。

「ねぇ、きのうのこと、誰にも言ってないでしょうね？」

「きのうのことって？」

「ほら、サトルが犯人だって……」

私がそう言うと、直輝はちらっとこちらに目を向け、「言うわけないだろ」と、馬鹿にしたように鼻で笑った。

「でもさ、私、なんか引っ掛かるのよねぇ。もちろん、あの事件の犯人はサトルじゃないに決まってんだけど、そうじゃなくて、それ以外のことで」

「それ以外のことって、何？」

直輝は上半身を起こすと、水筒から少し濃すぎるジャスミン茶をカップに注いだ。

「いや、何って言われても困るんだけど、なんか引っ掛かるのよ」

「だから何が？」

「だからそう言われても困るんだって！」

「元はと言えば、サトルを連れてきたの、お前だろ?」

「そりゃそうなんだけど……」

たとえば誰かがサトルについて、『彼ってどんな子?』と質問したとする。おそらく琴なら、こう答えると私は思う。

『あんまり自己主張しないタイプね。ぼんやりしてるところがあるから、もしかしたらお金持ちの家に育ったのかも。私が「パチンコに行こうよ」って言えば、「いいよ」ってついてくるし、カラオケでも、ボウリングでも、誘えば絶対に「いや」とは言わない。ただ、ついてきたからといって、楽しそうにするわけでもなくて、私が「そろそろ帰ろうか?」って言うまで、つまんなそうな顔して待っている。「つまんない?」って訊けば、「別に」って答えるくせに、「じゃあ、楽しい?」って訊いても、やっぱり「別に」としか答えない。話によると、とても愛し合っているご両親に、愛情をたっぷり注がれて育ったらしいから、何かに対して貪欲になるってことを知らずに生きているのかもしれない。いろんなことに満足している人というのは、サトルくんみたいにのんびりと生きていけるのかもしれない』と。

次に、良介なら、きっとこう答えるだろうと私は思う。

『若いのにやる気なさすぎ。俺なんか学校行って、バイトやって、友達と遊んで、先輩の彼女に手を出して、桃子を洗車して、一日二十四時間じゃぜんぜん足りないっていうのに、あいつ二十四時間のうち、二十時間くらいは無駄にしてるね。ただ、あいつにやる気がないのはさ、今までつるんできた友達が悪いと思うんだ。あいつの話じゃ、友達のほとんどが定職にもつかずフラフラしてるっていうし、そんな中にいたんじゃ、あいつだってそうなっちゃうよ。「自分さえしっかりしてれば、どんな状況でも立派に生きていける」って言う奴もいるけどさ、俺はそうは思わないね。どんなに自分がしっかり立ちたいと思っても、足元がぬかるんだ泥だったら、絶対に倒れちゃうに決まってるもん。あいつにはさ、なんていうか、そんな泥の中から引き上げてくれるような人間が必要なんだと思うよ』と。

結局、琴も良介も、自分たちのそばにいてほしいと願う人物像を、サトルに重ね合わせているのだと思う。そして、実は誰よりも世慣れているサトルが、そんな二人の思いを読み取り、ある意味、姑息《こそく》なまでに、彼らが求める人間に成り済ましているように私には思われる。もちろん、琴だって、良介だって、彼らなりにこの暮らしでの自分を演じているに違いない。私だって、直輝だって、そうだと思う。ただ、なんというか、サトルだけが、役者たちの中に混じった超役者というか、観客たちの中に混じった超観客というか、どうもその存在が、摑もうにも摑めない、触れようにも触れられない……、まるで水の中にできた水溜《みずたま》りのような、そんな存在に思えて仕方がない。

目の前に広がる芝生で、双子の男の子たちを相手に、美咲と良介はまだキャッチボールを続けていた。

「ねぇ、直輝、あんたサトルのこと、どう思う？」

「どう思うって？」

シートの上で寝返りを打った直輝の頰に、枯れた芝生がついている。

「だから、どんな子だと思ってる？」

「別に、今どきの若者だろ」

「そう？」

「何が言いたいんだよ、さっきから」

「だからさぁ……、あ、こう言えば分かってもらえるかな、サトルって、たとえば良介が思っているような子でもなければ、琴が思ってるような子でもなくて、もちろん直輝が想像してるような子でもないだろうし、かといって私が思っているような子でもないような気がするのよ」

私の説明を聞き終わらないうちから、直輝は呆れたとばかりに顔を逸らし、雲の間から顔を出した太陽に目を細めていた。

「そんなの当たり前だろ」

「なんで当たり前よ？」

私は直輝のお尻を蹴った。蹴られたお尻を摩《さす》りながら、ゆっくりと体を起こした彼が、

「お前が知ってるサトルしか、お前は知らないんだよ」と言う。

「どういう意味よ」

「だから、お前が知ってるサトルしか、お前は知らないわけだ。同じように俺は、俺が知ってるサトルしか知らない。良介だって琴ちゃんだって、あいつらが知ってるサトルしか知らないんだよ」

「さ〜っぱり分かんない」

「だから、みんなが知ってるサトルなんて、誰も知らないんだよ。そんな奴、この世には存在しないの」

直輝はそう言うと、ランチボックスからベーコンサンドを取り出した。口の周りをケチャップで汚しながら、おいしそうに頬張っている。

「ちょっと、その訳の分からない説明で終わり？」

私はもう一度、直輝のお尻を蹴った。

「お前、マルチバースって知ってる？」

「知らない。何、それ」

「じゃあ、ユニバースは？」

「宇宙でしょ」

「そう。一つの宇宙ってこと。で、マルチバースってのは、いくつもの宇宙って意味」

「ふ〜ん」

よほど『だから何よ？』と言い返そうかとも思ったが、なんとなくやめた。直輝が言わんとすることが、ちょっとだけ理解できるような気がしたからだ。ときどき「この世界では誰もが主役よ」などという似非《えせ》人道主義的な科白を耳にすることがある。ただ、そうなると、「この世界」が集まった「これらの世界」では誰もが主役になってしまうわけで、誰もが主役であるというのは、結局、誰も主役ではないのと同じなわけだ。それはそれで平等な世界のような気もするし、現在の私たちの暮らしにとても近いような気もするが、そんな誰もが主役でない世界になるためには、厳密に言えば、その前にやはり誰もが主役であるこの世界が必要になる。……う〜ん、やっぱり、よく分からない。

3・20

最近、親知らずの動きが活発なんだよな、と直輝がラグマットに寝転んだまま口を開けている。青空の下に広がる芝生に、ぽっかりと穴が開いたようだ。

直輝の舌は、太陽に染まったように赤い。「どれどれ」と、美咲、私、良介の順で直輝の口の中を覗き込んだ。たしかに白い突起物が、歯茎《はぐき》を押し破って顔を出している。

「痛むの？」

「ときどきな」

直輝の口に、美咲が指を突っ込み、遠慮なく頬の裏側を押し広げた。考えてみれば、この二人は恋人同士だったのだと、私はふと思い出した。

そういえば、隣の402号室に潜入捜査に行った良介が、自分の代わりに直輝のことを占ってもらった時、「あなたは強く変化を求めている」と言われたそうだ。「変化を求め、世界と闘っている」と。砧公園の芝生で、馬鹿みたいに口を開けて、喉ちんこを見せているこの男が、どんな世界と闘っているのかは知らないが、親知らずと闘っていることだけは確からしい。

隣のラスプーチンは占いの最後にこうも言ったらしい。「あなたがこの世界から抜け出しても、そこは一回り大きな、やはりこの世界でしかありません。あなたと世界との闘いでは、完全に世界の方が優勢です」と。

占師は、玄関先へ良介を見送りに出たついでに、「もし興味があれば、今度はあなた自身を占ってあげますよ」とも言ったらしい。占い自体は抽象的すぎてなんだか訳が分からないが、良介が直輝でないと見破ったところを見ると、隣のラスプーチンはただのインチキ占師ではないのかもしれない。

小窪サトル（18歳）自称「夜のお仕事」に勤務

4・1

部屋はきちんと片付いている。枕の位置はおかしいが、ベッドメイクもされ、壁に掛けられたドライフラワーからは、ラベンダーの香りが漂っている。ベッドには肌色のストッキングが、伝線でもしたのか、脱ぎ捨てられ、片方だけがフローリングの床に垂れている。トーストとバターの焦げた匂いがするのは、きっと出かける前に食べた朝食だろう。どこにでもあるような白い壁とフローリングのワンルームマンション。

一通り部屋を見渡したおれは、短い廊下を戻って玄関に鍵をかけ、手に持っていたスニーカーを、黒いパンプスの横に並べた。

きのうの夜、美咲という直輝の元彼女が現れた。あのマンションでお友達ごっこをやっている連中が、もう一人いたわけだ。烏山の駅前商店街に「フェルナンド通り」なんて名前をつけようとするイカれ女で、元々あのマンションは、そのイカれ女と直輝が二人で借りていたものらしい。ふぬけの大学生。恋愛依存気味の女。自称イラストレーターのおこげ。健康おたくのジョギング野郎。どう考えても、あそこで知り合っていなければ、絶対に口もききたくないタイプの奴らばかりだ。それなのに、どうもあの連中の中に入ってしまうと、自分でも不思議なくらい、一緒にいて楽しくて仕方がない。

昨夜は、美咲という新たな女に、リビングのソファを譲《ゆず》ってやった。その後、新宿に出てきたのが十時過ぎ、いつものように誠と二人で、公衆便所の個室でスピードをきめ、気分良く公園に立った。誠は五分もしないうちに、蜥蜴《とかげ》みたいな舌を出す男に声をかけられたが、おれの方はさっぱりで、今夜は無理かなと思っているところを、やっと常連のシルヴィアさんに拾われた。あのマンションで暮らすようになって以来、どうも客の食いつきが悪くて困る。

拾ってくれたシルヴィアさんの部屋へ行き、ホルモン注射で情緒不安定気味だった彼女に奉仕したあと、やっと眠らせてもらったのが夜明け前、それでも十一時には目を覚まし、昼食にカロリーメイトを一本ご馳走になって部屋を出た。ぶらぶらと幡ヶ谷《はたがや》駅へ向かっていると、オートロック付きのお洒落なマンションを出てくる若い女の姿を見かけた。横顔が少しだけ琴ちゃんに似ていた。女は郵便受けを確認すると、ゴミを出して駅の方へ歩いていった。

コンビニでホットドッグと牛乳を買い、しばらくそのマンションの前で、ガードレールに腰を下ろして張っていると、入口から学生風の若い男が出てきた。オートロックのドアが閉まる寸前、おれは中へと走り込んだ。七階にある女の部屋の鍵は、いつも持ち歩いている針金で、二分もかけずに開けられた。

部屋の真ん中には脚の短いテーブルが置いてある。琴ちゃん似の女が、出かける前に飲んだのだろう、底に少しだけ紅茶が残ったマグカップがある。おれは慎重にそのカップを抓み上げて台所へ運んだ。なるべく飛沫《しぶき》が飛ばないように、水道の蛇口から細い水を出してカップを洗い、ポットから熱いお湯を注ぐ。量が少なかったのか、ゴボゴボと嫌な音が立ち、カップを握った指に熱湯がかかった。思わず「アチッ」と上げた悲鳴が、昨夜の客シルヴィアさんの声に似ていてゾッとした。

リプトンのティーバッグが冷蔵庫の上にあった。カップのお湯に浸し、右に左にバッグを揺らす。透明だったお湯が、赤く濁って甘い匂いが立ち昇る。

そういえば、あのマンションの連中は誰も紅茶を飲まない。琴ちゃんと未来と良介の三人はコーヒーを飲むが、健康おたくの直輝は、酒は飲むくせにコーヒーと煙草に関しては「悪魔の嗜好品《しこうひん》だ」と毛嫌いしている。

紅茶を入れたカップを、シンクに置いたまま部屋へ戻った。薄桃色のカーテンの隙間から外を覗いてみると、遠くに新宿の高層ビル群が見え、その手前を首都高が走っている。千歳烏山から新宿までは10㎞近く離れていると、前に良介から聞いたことがある。仕事が休みの日、直輝はわざわざ電車で新宿まで出て、そこからジョギングして戻ってきたりする。

七階のこの女の部屋からは、渋滞の首都高がはっきりと見下ろせる。二重サッシのせいか、外の音はまったく聞こえない。街全体から音だけがすっぽりと抜け落ちた感じだ。

窓の木枠に、白雪姫の七人の小人が並べてある。ただ、数えてみると、六人しか立っていない。知らぬ間に一つ落としてしまったのかと思い、慌てて足元やベッドの下を捜してみたが、行方不明の小人は見つからなかった。

オレンジ色の帽子を被《かぶ》った小人を持ち上げ、窓の外に広がる街の景色に重ね合わせてみた。立ち並んだビルや鉄塔を、まるでゴジラのように小人が踏みつけ破壊する。煉瓦《れんが》造り風マンションを、武富士の看板を、小人がにこやかな顔で踏みつけていく。

ベッドの枕元に目覚し時計がある。手に取ると、アラームは午前十時にセットされている。現在時刻の午後二時に合わせてみると、「起きろ！　起きろ！」と間の抜けた声で連呼したあと、「ウ〜、ワンワン！」と犬の鳴き声に変わった。おれは思わずクスッと笑い、アラームを元に戻して時計を置いた。

忍び込む前にコンビニで買ってきたホットドッグと牛乳をテーブルに出した。店の奴が電子レンジで温めすぎたらしく、袋の中でホットドッグが縮んでいる。齧りつくと、口の中に甘い脂が広がって、喉の奥をゆっくりと落ちる。

14型のテレビの上に、ポラロイドカメラが置いてある。片手にホットドッグを握ったまま、カメラを摑んでレンズ越しに部屋を見てみた。部屋は肉眼で見るよりも広く見えた。しばらく覗いていると、四角に区切られたフレームの外に、誰かが立っているような気がして、慌ててカメラから目を離した。もちろん、そこに立っている者など誰もいない。たとえば24枚撮りのフィルムなら、その二十五枚目、36枚撮りのフィルムなら三十七枚目に、その誰かは写るのかもしれない。

テレビの脇にレンタルビデオ屋の袋がある。千歳烏山にもあるチェーン店のもので、袋の中を覗いてみると、「ピンク・パンサー2」という映画が入っていた。聞いたことはあるが、観たことはない。

ビデオをデッキに突っ込み、テレビをつけてすぐにボリュームを下げた。ベッドを背もたれにして足を伸ばし、鑑賞態勢を整える。映画はすぐに始まった。どこかの博物館らしい場所でインチキ臭い髭を生やしたアラブ人のガイドが、大勢の観光客を相手に、青く輝くダイヤモンドについて説明している。ボリュームを少しだけ上げてみた。

『これがアクパー王朝以来、千年の余、我が民族の象徴とされてきたピンク・パンサーです。

その名と大きさは世界一。値踏み不可能。無類の名石であります』

『盗難の心配はないの?』

観光客に尋ねられ、ガイドが飾られたダイヤモンドへゆっくりと手を伸ばす。途端に、けたたましい警報が鳴り、博物館の窓に重い鉄の扉が一斉に降りてくる。

『どうしてピンク・パンサーと呼ぶの?』

別の観光客からの質問に、インチキ臭いガイドが得意げに答える。

『それはですね、ある角度で光を当てると、中でピンクの豹《ひょう》が踊っているように見えるからです』

ガイドの説明と共に、ダイヤモンドがズームアップされ、聴いたことのある有名なテーマ曲が流れ出し、アニメーションの「ピンクの豹」が腰を振って踊り出す。

部屋の電話が鳴ったのはその時だった。慌ててテレビのスイッチを切った。電話のベルが、五回鳴って留守録に切り替わる。内蔵された応答メッセージが流れ出し、慌てる必要がないことに気づいたおれは、中腰だった姿勢を元に戻した。切り替わった留守電に、妙に甘ったれた感じの女の声が録音され始めた。

『もしも〜し、マキで〜す。この前の土曜日、高橋さんたちとの飲み会ドタキャンしちゃってゴメンなさ〜い。今、お昼休み中だろうから、会社か携帯にかけようかと思ったんだけど、怒られると怖いので、気の弱いマキちゃんはこっちにかけちゃいましたぁ。これ聴いて、許してやってもいいかなぁと思ったら、今夜は家にいるので電話下さ〜い。でも、これ聴いて、怒りがぶり返してきたんだったら、怖いから電話しないで下さ〜い。ユウコが怒るとマジで怖いで〜す……』

いつの間にか、猫のような格好で、おれは電話と対峙《たいじ》していた。赤いランプが点滅している。

『……あと、この前の香港のビデオ、私も観たいので早く貸して下さい。ハワイの時のように、上から間違えてスマスマとか録画しないように、くれぐれも注意して下さい。さっさとツメを折っちゃえば……』

ここでピーッと発信音が鳴り、電話はプツンと切れてしまった。またかかってくるかもしれないので、しばらく尻を突き出した猫のポーズで待っていたが、電話はかかってこなかった。

目の前のビデオ棚に目を向けると、Dragon Ash のライブビデオの隣に「Hong Kong 2001」と書かれたテープがある。早速、「ピンク・パンサー2」と入れ替え、そのテープを再生してみた。すると、しばらく砂嵐が続いたあと、とつぜんこの部屋が映し出された。一瞬、おれは玄関の方へ逃げ出しそうになった。この部屋のどこかに隠しカメラがあり、それがとつぜん作動して画面に映ったと思ったのだ。しかし、画面に映っている部屋は、今、自分がいるこの部屋ではない。その証拠に、今おれが猫のポーズをとっている場所には、大きな旅行用のトランクが置いてある。

映像は、窓の外の風景へと移り、そのまま台所へパーンした。さっきこのマンションを出ていった琴ちゃん似の女が台所で食器を洗っている。風呂上がりなのか、髪にバスタオルを巻き、口には歯ブラシを突っ込んでいる。

おれは一応、念のために台所へ目を向けてみたが、もちろんそこに、バスタオルを髪に巻いた女など立っていない。

映像の中で撮影している女が何やら喋っているようだったので、ボリュームを少しだけ上げてみた。目盛を16まで上げると、女の声が聞き取れた。

『時間ないよ。食器なんか洗ってないで、先に髪乾かしなさいよ』

カメラを向けられている琴ちゃん似の女は、それでも食器を洗う手を休めず、ちらっとカメラの方へ顔を向け、『ちょっと、そこの汚れたグラスも持ってきて』と、歯ブラシを咥えたまま、もごもごと言う。泡のついた指でこちらのテーブルを指差すので、おれは思わず、目の前のテーブルを見てしまった。もちろんそこに、汚れたグラスなど置かれていない。

しばらく映像を見ているうちに、食器を洗っている琴ちゃん似の女の名前がユウコで、撮影をしているのがさっき電話をかけてきたマキだと分かった。マキは撮影しながら、汚れたグラスを台所へ運んだあとも、食器を洗うユウコの手を撮り続けていた。

この映像を見ていると、なんだか今、この部屋にユウコとマキが実際にいるような気がしてくる。顔を向ければ、そこの台所でユウコが食器を洗い、その様子をマキがビデオで撮影しているような……。ただ、もちろん台所に二人の姿はない。目を向けても、さっき紅茶を入れて、口もつけずに置いてきたマグカップがあるだけだ。

五分ほど見ていると、映像がこの部屋から、とつぜん香港の夜景に変わった。なんとなく、この先を一人で観るのに飽き、窓際から六人の小人を運んできて、テレビの方へ顔を向け、テーブルの上に一列に並べた。

映像は香港の高層ホテルの窓から撮影されているらしく、テレビや絵葉書で見たことのある夜景が、港の水面に揺れている。

その時カメラが向きを変え、室内のソファでくつろぐ琴ちゃん似のユウコが映った。何か喋らないかとしばらく待ったが、映像はそこでプツンと途切れてしまった。次に、『蓋ついてるよ！』という声と共に始まった映像は、派手な看板が並ぶ真昼の市街地の風景で、すぐにまたプツンと途切れてしまう。

その後も、映し出される映像はこま切れで、ユウコとマキが楽しそうにお喋りをするシーンはなく、ときどき香港の風景に混じって聞こえる声は、『疲れた』だの、『一旦、ホテルに帰る？』だのと、まったく覇気《はき》のないものばかり。そして、どちらかがその手の言葉を呟くと、すぐに映像は途切れてしまう。

すっかり退屈したおれは、早送りボタンを押した。次々に街の風景が変わり、ビデオデッキのカウンターが24分を超えたところで画面が真っ暗になった。と思ったら、とつぜん下着姿のユウコが映し出された。おれは慌てて再生ボタンを押した。

場所は最初に映ったホテルの客室だった。巻き戻して見直すと、黒い下着姿のユウコが、『ちょっと、写さないでよ！』と抗議しながら浴室から現れ、ソファに広げられた赤い光沢のあるドレスを身に纏《まと》い始める。

『似合うじゃない。何ドルだったっけ？』というマキの声だけが録音されている。

その質問にユウコはぼそぼそと何か答えたようだったが、はっきりとは聞き取れなかった。赤いドレスを着たユウコが、カメラに向かって歩いてきた。今にも画面から飛び出して、おれの前に現れそうになる。画面全体がユウコのドレスで真っ赤になり、近づきすぎて今度は真っ黒になる。カメラの前でゆっくりとターンしたユウコは、ふざけて尻を振りながら、ベッドの方へ遠ざかった。

思わず見入っていたらしい。テーブルに並べていた小人を、知らぬ間に二人も倒していた。

香港のテープはそのシーンで終わりだった。いくら早送りしても、別の映像は出てこない。仕方なく、もう一度ユウコの下着姿の映像に戻した。カメラに尻を向け、屈み込んだところで一時停止させた。黒い下着に少しだけ脇腹の肉が乗っている。一時停止させているせいか、その贅肉《ぜいにく》がぷるぷると揺れているように見える。

なるべく皺《しわ》がつかないように、ユウコのベッドに寝転がった。昨夜、シルヴィアさんに散々絞り出されたというのに、パンツの中で痛いほど性器が勃起《ぼっき》していた。ジーンズの生地さえ、突き破りそうな勢いで、血が脈を打っているのが腰に伝わる。相変わらず部屋はシンとしている。窓の外からも、なんの音も聞こえてこない。ただ枕元の目覚し時計だけが、チクタクと音を立てている。

ボタンを外すと、勢いよく性器が飛び出した。テーブルからポラロイドカメラを手に取り、勃起した自分の性器を撮影した。フラッシュが、一瞬、部屋全体を青く照らした。

いつだったか良介に、「いつもどうやって処理してんの？」と尋ねたことがある。部屋は直輝と一緒だし、リビングにはいつも琴ちゃんがいる。良介は、「絶対に内緒だぞ」と前置きしたあと、「裏に小さな児童公園があるだろ？　わざわざあそこのトイレに行ってやってんだよ」と教えてくれた。自由にオナニーもできない今の生活に、それでも彼は、「特に不満はない」と言う。

真っ黒だったポラロイド写真に、ゆっくりと性器の輪郭が浮かんできた。勃起した性器の背後には、誰もいない台所が写っている。写真とは逆に、すっかり萎《な》えた本物の性器を、おれはパンツの中に戻した。時計を見ると、ここへ忍び込んですでに二時間が経っていた。ベッドから起き上がり、きちんと元のようにシーツの皺を伸ばす。テレビやビデオのスイッチを切り、「Hong Kong 2001」と「ピンク・パンサー2」の二本のテープも元の場所に戻す。テーブルに並べていた小人は窓の木枠へ、牛乳パックとホットドッグの食べかけをコンビニの袋に入れて、ポラロイドカメラをテレビの上に置く。一口も飲まなかった紅茶は、台所ですっかり冷めていた。底に少しだけ残し、あとは流しに捨てて、カップを部屋のテーブルに戻す。

おれは部屋を見回してみた。入ってきた時と違っているところは一ヶ所もない。ただ唯一、留守電の赤いランプが点滅しているだけだ。

玄関へ向かう途中、もう一度振り返って部屋を確認した。変わっているところは、やはり一つも見当たらなかった。忍び込んできた時には、とても魅力的に見えた部屋も、二時間ですっかり退屈なものに変わっている。ずっと居続けたくなる部屋など、そうそう出会えるものではない。

なるべく人目につかないようにマンションを出た。幡ヶ谷駅に向かう途中、なんとなく公衆電話からうちに電話をかけてみた。予想通り琴ちゃんが出て、「な〜んだ、サトルくんかぁ」と露骨に落胆した声を出す。「みんなは？」と訊くと、「砧公園にピクニックに行っちゃった」とつまらなそうに言う。

「美咲さんも？」とおれは尋ねた。

「そう。美咲さんも直輝くんも未来も、みんな良介くんの桃子に乗ってピクニック」

「琴ちゃんは行かなかったの？」

「だって日に灼けちゃうじゃない」

「今、何やってんの？」

「別にぃ。サトルくんこそ、何やってんのよ？　今どこ？」

「今、幡ヶ谷。あのさぁ、今夜も美咲さん、うちに泊まるのかな？」

「帰るって言ってたよ。良介くんがバイトに行くついでに送るって言ってたし」

「……じゃあ、戻ろっかなぁ」

「そうよ。戻っておいでよ。一緒にビデオでも観ようよ」

「ビデオねぇ……。たとえば何？」

「なんでもいいよ。帰りに何か借りてきてよ」

「別に観たい映画もないしなぁ……。あ、そうだ。琴ちゃんって、『ピンク・パンサー』観たことある?」

「『ピンク・パンサー』?ないけど……、別にそれでもいいよ。サトルくん、今夜、仕事行くの?」

「今夜?……そうだなぁ、今夜は休みかな。きのう頑張ったから」

「だったら二本借りておいでよ」

電話を切ろうとすると、「あ、駅前でドーナツを買ってきて」と叫ぶ琴ちゃんの声がした。

4・2

リビングのソファで毛布に包《くる》まり、琴ちゃんが焼いてくれたワッフルに苺ジャムを塗っていると、いつもより少し遅く起き出してきた直輝が、「サトル、お前、きょう、俺の会社でバイトする気ないか?」と訊いてきた。

もちろんなかったので、「ない」と答えて、熱いワッフルに齧りついた。すると、次のワッフルを焼き始めていた琴ちゃんが、「手伝ってあげなさいよ」と言うので、とりあえずどんな仕事なのか訊いてみた。なんでも彼が勤めている映画配給会社で、次回公開予定作品の試写会案内状に宛名シールを貼るだけの仕事らしい。ただ、その送り先が数百とあり、単純作業とはいえ、一、二時間で終わるものではなく、その上、今はカンヌ映画祭での買いつけ準備で、手の空いている社員がいないのだという。

「どうせ今日も仕事休むんだろ？」

横で同じようにワッフルに齧りついた直輝にそう言われ、「まだ分からないよ」と一応答えはしたが、ここ数日の無気力が夕方までに回復するとは思えなかった。

結局、琴ちゃんに背中を押されたこともあり、おれはシャワーを浴びたあと、直輝に連れられて家を出た。混んだ電車でもみくちゃにされ、四谷にある彼の職場に着いた時には、すでにぐったりしていた。

満員電車の中で、「お前、今の仕事辞めるのか？」と直輝に訊かれた。何も答えないでいると、「別に辞めるのはいいけど、このままズルズルじゃなくて、ちゃんと店の人に話してから辞めろよ」と言う。

「話ってなんの？」とおれは尋ねた。

「だから、辞める時期とかさ、向こうだって次のバイト探さなきゃならないんだから。そうだろ？」

未来は、おれがどんな仕事をしているか、誰にも喋っていないらしい。寄りかかってくるオヤジの体重を、吊革に摑まって支えながら、おれはシルヴィアさんや他の常連客たちの顔を思い浮かべた。

『今月いっぱいでここに立つのはやめます。だから、来週は店じまいセールで、全サービス半額です』

直輝の会社は、雑居ビルの六階にあった。ドアを開けると、映画のフィルムが入っているらしいリール缶が、今にも倒れそうなくらい積み上げられ、梱包《こんぽう》されたパンフレットやチラシがそれを押さえるように並んでいた。

その隙間を、「おはようございます」と奥に声をかけながら直輝が進んでいくと、貼り紙だらけのパーティションの奥から、「あ、伊原くん来た？」と少し慌てた年配の女の声が聞こえた。

直輝はもう一度、「おはようございます」と声をかけ、「どうかしました？」と奥の部屋を覗き込んだ。直輝が「伊原」という名字だったことを、おれは初めて知った。

「どうもこうもないわよ。ウディ・アレンのギャレットが取れるんだって」

奥から聞こえた声は、ほとんど悲鳴に近かった。

「ほんとですか？　どこで？」

直輝がおれを手招きしながら、そう訊き返す。

「それがミュンヘンなのよ」

「ミュンヘン？　いつですか？」

「来週なの。伊原くんは空いてないでしょ？　百地《ももち》くんも無理だし、里子《さとこ》とみっちゃんはサンフランシスコに行ってるし……、どうしよう？」

そこまで女の人の話を聞くと、直輝はおれの手を引っ張り、パーティションの奥へと背中を押した。書類が山積みされたデスクが四つ並んでいた。一番奥に、派手な眼鏡をかけた中年の女性が座っている。

「社長、これね、俺の従弟《いとこ》なんだけど、試写の案内状、今日中だから、こいつに貼らせようと思って連れてきたんですよ」

直輝にそう紹介されて、おれはとりあえず頭を下げた。見かけによらず、女社長の笑顔はやさしかった。「ほんと？　助かるわ。名前なんていうの？」と訊くので、「サトルです」と答えた。そしてすぐに、「あ、小窪です」と言い直した。女社長と直輝は、すぐに話の続きに戻ってしまった。狭い会社には、他に誰もいなかった。

女社長が淹れてくれたコーヒーを飲みながら、おれは入口近くのテーブルで、直輝に教えてもらった通りに、宛名貼りを孤独に始めた。「London Dogs」という映画で、おれの客たちの間でも最近人気のあるジュード・ロウが出演していた。パーティションの向こうからは、二人の切羽詰まった会話が聞こえ、ひっきりなしにかかってくる電話が、そんな二人の会話の邪魔をしていた。

「これ、担当は百地くんだったわよね？　ニューヨークでの単独インタビューは断られたってことは聞いてたんだけど……」

「エージェントにしつこく連絡は入れてたみたいですよ。でもほら、もう次回作の撮影に入ってたから」

「そっかぁ……、やっぱり監督のインタビューは欲しいわよねぇ」

「そりゃ欲しいですよ。前に、百地さんに頼まれて、来月号の『CUT』がニューヨーク特集だったんで、そこにとりあえず記事を嵌《は》め込んではもらってるんですけどね。やっぱ監督のインタビューは欲しいなぁ。でも、なんでミュンヘンなんですか？」

「ヨーロッパでは今月公開でしょ、それに合わせてミュンヘンに飛んで、そのまま休暇を過ごすんだって」

「取材に出るとして、予算、どれくらい取れるんですか？」

「そうねぇ、ライターとカメラマン、できれば通訳はなしでお願いしたいところかしら」

「ちょっと心当たりあるんで連絡入れてみますよ。ほら、前回のMifedに来てもらった花《はな》輪《わ》さん、彼なら英語もできるし……」

女社長と話しながらも、直輝はかかってくる電話にてきぱきと対応し、時には流暢《りゅうちょう》な英語を使うこともあった。彼がどんな顔で英語を話しているのか気になったおれは、パーティションの上から覗いてみた。椅子にふんぞり返った直輝に、緊張した様子はなく、顔を出したおれに向かって、「早く仕事しろ」と手で合図を送ってきた。

正直なところ、直輝がとても格好よく見えた。生まれて初めて、ネクタイというものを締めてみたいな、とさえ思った。未来や琴ちゃんや良介は、こんな直輝の姿を一度でも見たことがあるのだろうか？　そういえば、前に良介がうちの隣に住んでいるという占師に、直輝のことを占ってもらったことがあったらしい。「世界と闘っている」とかなんとか訳の分からないことを言われたと笑っていたが、ここで働く直輝を見る限りでは、たしかにこいつは、おれなんかと違って大きな世界と闘っている。

資料を広げるから場所を移動しろだの、この書類を郵便局に出してこいだのと、細かい用事に使われながら、やっと宛名貼りを完了した時には、すでに二時半を廻っていた。

昼めしを奢ってやると言う直輝に、近所のラーメン屋へ連れていってもらった。働いている直輝を目《ま》の当たりにした感想を正直に話すと、「俺さ、子供の頃から映画が好きでさぁ、好きな仕事して飯が食っていけるっていいもんだぞ」と無邪気に喜んでいた。

「ところでお前、将来、何やりたいんだよ？」

とつぜん直輝にそう訊かれ、おれは思わず食べていた海鮮チャーハンを喉に詰まらせた。将来なんになりたいか、なんて訊かれたのは中学校以来かもしれない。さすがにもう、「パイロットか、お医者さん」とは叫べない。

「え？　おれ？」

「なんかあるだろ？　飲み屋で働いてんだったら、将来は自分の店を持ちたいとかさ」

「自分の店ねぇ……」

そう言ったきり黙り込んでいると、目の前の直輝が何かしら言おうか言うまいか迷っている様子で、じっとおれを見つめているのが目に入った。「何？」と尋ねてみると、「いや、別に」と言葉を濁す。一瞬、おれが何をして金を稼いでいるのか、訊こうか訊くまいかと迷っているような気がした。未来が誰にも告げなかったのは、もしかすると、彼らがそれを認めない人種だからかもしれない。

「な、なんだよ？」

妙に気になってしまったおれは、担々麵を啜る直輝に、改めて尋ねてみた。直輝はもう一度、「いや、別に」と答えはしたが、すぐに顔を上げ、まっすぐにおれへ目を向けた。

「なぁ、もしかしてお前……」

「なんだよ？」

「今、家出してんのか？」

「は？」

「いや、家出してるから、こうやっていろんな所に寝泊まりしてんのかと思ってさ。もしそうなんだったら、どんな理由があるのか知らないけど、電話だけでも入れておいた方がいいぞ。ご両親だって心配してんだろうからさ。あれだよ、もし自分でかけにくいんだったら、俺が代わりにかけてやってもいいぞ」

担々麵を啜る直輝を眺めながら、普段は友達感覚で付き合っているが、やはり二十八歳のおっさんなんだよなぁ、とおれは思った。ただ、そうやって馬鹿にする心のどこかで「代わりに電話してやろうか」と言った直輝に、「ありがとう」と素直にお礼を言っている自分もいた。とにかくヘンな気分だった。知らず知らずのうちに、あのマンションでのお友達ごっこの立派な一員になっているらしい。

とりあえず、「別に家出なんかしてないよ」と答えると、直輝は、「そうか」とだけ呟き、丼を抱えて濃そうなスープを飲み干した。

会社への帰り道、まだおれが家出中だと疑っていたのか、直輝は自分が十五の時に決行したという家出の話をしてくれた。「へぇ、直輝さんみたいな人でも家出するんだ」とおれが笑うと、「どういう意味だよ？」と彼も笑った。直輝が家出をしたのは十五歳になったばかりの冬だったらしい。最初はヒッチハイクしようと思っていたらしいのだが、生来の几帳面さと寒風の中、道路に立つ苦痛から、結局、電車で八ヶ岳の方へ向かったという。

「家出の理由はなんだったの？」

「理由？　だから十五歳だったんだよ」

「それが理由？　そんなの理由にならないよ」

「そうか？　俺はなると思うけどな」

直輝からは、「宛名貼り終わったんなら、もう帰っていいぞ」と言われていたのだが、なんとなく去り難くて、また彼について会社へ戻った。そして、夕方六時頃、百地という直輝の先輩が戻ってくるまで、資料整理やコピー取りを手伝った。

その日、労働後のなんとも清々《すがすが》しい気分で家へ戻ると、ちょうど良介がバイトに出かけるところで、「お前、今日仕事は？　新宿まで送ってやろうか？」と言う。とりあえず良介を引き止めておき、誠の家に電話をかけてみた。「手元にスピードは残ってない」らしい。電話を切ると、「やっぱ今日も休むよ」と玄関で靴を履く良介に告げた。

良介は、今夜もバイトの帰りに貴和子さんの所に寄るらしかった。彼を見送りに出たついでに、「うまくいってんだ？」と尋ねると、「まあねぇ」と能天気な笑みを浮かべる。

「まあねぇって、まだ二股かけられたままじゃないの？」とおれは笑った。

「嫌な言い方するなぁ」

「だって真実じゃない」

「あ、俺ね、その言葉嫌い」

「どの言葉？」

「だからその『真実』って言葉。俺、どうもその言葉に真実味を感じないんだよなぁ」

そう言うと、良介は機嫌よくバイトへ出かけていった。先日、琴ちゃんから、「ねぇ、貴和子ちゃんと一緒にいて、その梅崎って先輩の話とか出たりしないの？」と訊かれた良介が、「出るよ。っていうか、彼女と二人でいる時は、梅崎先輩の話しかしない」と平然と答えていたのを、なぜかしらふと思い出した。

琴ちゃんはまた丸山友彦とのデートに出かけているらしく、未来もまだ帰っていない。今、ここにいるのが自分だけなんだと、リビングのソファに座って初めて気がついた。

別に詮索《せんさく》するつもりはなかったのだが、なんとなくいつもの癖で女部屋に入り、タンスや机の引き出しを開けた。噂通り、琴ちゃんの荷物は小さな段ボールに三箱分しかなく、きちんと整理されてベッドの脇に置いてある。女部屋の壁には、未来が描いたイラストが額に入れられ、何枚も飾られてあった。つい先日も、彼女にイラストの参考にするからと頼まれ、顎や耳、背骨や太股、挙句の果てには尻の写真まで撮られてしまった。

女部屋の押入れを開け、積み重ねられた段ボールを引き出してみた。中には未来がついこの前まで着ていた冬物のセーターが詰まっており、その白いセーターを持ち上げてみると、中からポトッと何かが落ちた。ビデオテープのようだった。コンビニの袋に入れられ、頑丈にガムテープで留めてある。なんとなく気になって、ガムテープを慎重に剝がしてみた。中からは、なんの変哲もないSONYの120分テープが出てきた。もしや裏ビデオか？ と思ったおれは、早速リビングへ戻り、いそいそとビデオデッキにテープを入れた。

映し出された映像は、予想に反してボカシがあった。というよりも、エロビデオではなく、普通の映画らしかった。なんの映画かとしばらく眺めていると、とつぜん別の映画に変わる。そしてまた、次に変わったシーンでも女が男に犯されていた。早送りしてみた。またレイプシーンだった。いろんな映画のレイプシーンばかりが、繫ぎ合わされているらしかった。

「なんだよ、趣味悪ぃな」

思わずそう呟いて、ビデオを停めた。『これもイラストの参考にするのだろうか』などと考えていたが、ぼんやりとテレビ画面を見つめているうちに、ふと寒気《さむけ》のようなものが背筋を走った。そしてとつぜん、女部屋の壁一面に飾られている未来のイラストから、嫌な臭いがリビングへ漂い出してきたような気がした。その臭いは、間違いなく精液の臭いだった。太股や腹や胸にいつまでもべとべとと残り、洗っても洗っても流れ落ちない、あの生臭い臭いだった。

　公園に立ち始めたばかりの頃、まだ要領を摑めていなかったおれは、事が終わってからも、しばらく客の添い寝に付き合うという、今考えれば信じがたいようなことをやっていた。客たちはいろんな話をした。もちろんそのほとんどは、若い頃に自分がいかにモテたかという自慢話ばかりだったが、そんな中、ある男が、昔フランスの田舎町で起こった殺人事件の話をしてくれた。話してくれた男の顔は忘れてしまったが、不思議とその話の内容だけは、未だにはっきりと覚えている。

　昔々、フランスの片田舎にピエールという少年がいた。少年は、気の弱い父親と悪魔のような母親と妹、それにまだ乳呑《ちの》み子の弟と五人で暮らしていた。ピエールは畑のキャベツに話しかけたり、時にはキャベツ相手に口論までして、杖や傘でめった打ちにしてしまうような少年だった。ただ、気の弱い父親を、心から愛していた。

　ピエールの母親は、日頃から自分の夫を馬鹿にしていた。甲斐性《かいしょう》がない、意気地がない、男らしさがない、とまるで驢馬《ろば》のように扱った。そんな母親に、意地の悪い妹が味方した。妻と娘から馬鹿にされる父を、ピエールは見ていられなかった。

　父親は毎日一生懸命に働いていた。ピエールも一生懸命に父の仕事を手伝った。父親はピエールのまだ幼い弟を溺愛《できあい》していた。妻や娘にこき使われても、一言の文句も言わずに働いているのは、乳呑み子の愛する息子のためだった。そしてもちろんピエールも、その幼い弟を心から愛していた。

惨劇が起こったのは、父親が仕事に出かけている最中だった。ピエールは、愛する父をこの地獄から解放してやるために、暖炉で粥《かゆ》を煮ていた母を殺した。頸部《けいぶ》と頭蓋骨《ずがいこつ》を鋭器で刺したのだ。その場から逃げ出した妹は、庭で殺した。レースの編み物を握ったままの妹の顔面と頸部をめった刺しにした。そして、庭から家に戻ったピエールは、ゆりかごで泣き喚いている愛する弟の背中も刺した。

長い逃亡の末、ついに逮捕されたピエールは、『どうして愛していたはずの弟まで殺したのか?』と問う判事に向かい、力なくこう答えたという。

『もしぼくが、弟を除いて母と妹だけしか殺さなかったら、父はぼくの行為に恐怖を抱くにしろ、のちにぼくが父のために死刑になったことを知ったら、ぼくのことを心残りに思うのではないかと心配したのです。ですからぼくは、愛する弟まで殺したのです。そうすれば、父はぼくの死を喜び、ぼくの死を悲しむこともなく、前よりも幸せに暮らすことができると思ったのです』

未来のビデオテープを観たあと、なぜこの話をとつぜん思い出したのかは分からない。ただ、勝手に作り上げていたピエールという少年のモンタージュが、なぜかしら頭から離れなくなっていた。

　未来が寝ているベッドの枕元には、マリネママと肩を組み、にこやかな笑みを浮かべた未来が、数人のオカマたちに囲まれている写真が立ててある。いつだったか、一緒に飲み歩いた晩、未来は腰が抜けるまで酒を飲んだ。おれやオカマたちに肩を抱かれ、「最悪だよ、この女」などと言われながらも、「もう一軒行くわよぉ」と威勢よく叫び声を上げていた。

　ベッドの脇で、その写真を眺めているうちに、彼女のために何かしてやれることはないだろうか、と思った。そしてすぐ、あるわけがないと思い直した。誰かのために、何かができるなんて、どうしても素直には思えなかった。

　リビングへ戻り、未来のビデオテープを取り出そうとして、間違えてもう一台のデッキの取り出しボタンを押してしまった。ここには直輝と未来のビデオデッキが、二台並べて置いてある。間違えて操作したデッキから出てきたのは、先日、琴ちゃんと二人で観た「ピンク・パンサー2」だった。

　どうしてそんなことをしようと思ったのかは分からない。ただ、気がついた時には、レイプシーンばかり繋がれていた未来のテープに、アニメーションの「ピンクの豹」が腰を振って踊るシーンを、上から何度も録画していた。

　巻き戻して、改めて最初から観てみると、男に犯されていた多くの女たちの姿は消え、その代わりに、何度も何度も「ピンクの豹」の踊るシーンが繰り返された。ただ、所々に隙間があって、「ピンクの豹」が踊り終わった途端、一瞬だけ、犯される女の歪んだ顔が画面に映った。

4・3

昨夜、久しぶりに公園に立った。夕立が降り、蒸し暑い夜だったので、商売の方は順調だった。朝、始発の電車でうちへ帰るつもりが、なんとなく千歳烏山まで戻るのが億劫《おっくう》になり、歌舞伎町のサウナに泊まった。ドライサウナに七分ずつ三度入り、垢《あか》すりで体を二度洗い、水風呂に浸かって仮眠室で寝た。

広い仮眠室の隅で寝ていた男の鼾で目を覚まし、サウナを出たのは昼前で、ロッテリアに入り、えびバーガーを注文した。ちょうど映画の一回目が始まる時刻らしく、店内は上演開始直前に胃を満たそうとする客たちで混雑していた。カウンターに席が空いたので、トレーを抱えてそこに座った。横で、初老の男性が二人、「こういうのを食べると、最近は一日中、胸焼けがしてねぇ」などと話しながら、テリヤキバーガーを頬張っていた。

　店内の音楽がうるさくて、二人の会話は断片的にしか聞こえなかったが、隣に座っているハンティング帽の男が、「ほら、二年前にうちのが亡くなったでしょ」と呟いた言葉が、なぜかしらはっきりと耳に入ってきた。「一人になってみれば、広い家ですよ。おまけに、朝から晩までいるもんだから、ますます広く感じちゃって」と、その男は自嘲《じちょう》気味に笑っていた。

「そうですかねぇ、高品《たかしな》さんは悠々自適に暮らしてらっしゃるように見えますけどねぇ。わたしなんか、毎日女房と二人で家にいますから。たまにはこうやってふらっと一人で新宿にでも出てこないと、息がつまってねぇ」

　なんとなく気になり、隣に座る高品と呼ばれたハンティング帽の男に目を向けた。やけに長い眉毛。よれよれのハンティング帽。白髪の混じったもみ上げ。頰にいくつもあるシミ。

「わたし、去年の暮れから朝の新聞配達を始めましてね」

　高品と呼ばれた老人が言った。意識していれば、二人の声はちゃんと聞き取れた。

「新聞配達？」

「ええ。朝早く目が覚めちゃうもんだから、ちょうど隣が新聞の販売店でね、所長さんに頼んで毎朝、三十軒だけ配達させてもらってるんですよ」

「へぇ、三十軒」

「時間にして、二、三十分のもんなんだけど、あれやると一日気分がいいんですよ」

「冬は寒いでしょ？」

「雪なんか積もった朝は、転んだら大変だからって休ませてもらいますよ」

二人の会話をぼんやりと聞いているうちに、おれはえびバーガーもポテトも食べ終わっていた。席を立とうとすると、偶然、隣の二人も立ち上がった。なんとなく、椅子に座り直し、店を出ていく二人の背中を見送った。

店の前で短い挨拶を交わすと、二人は別々の方へ歩き出した。店を出たおれは、これまたなんとなく、毎朝、三十軒だけ新聞配達をしているという高品さんを追うことにした。

高品さんは歌舞伎町映画街の看板を見上げながら、ぶらっと広場を一周した。おれは広場の中央に立ち、一周する高品さんをその場で一回転して見守った。ふと気づいたのだが、平日午前中の映画街には、ちょうど彼と同じような年格好の男たちが、それぞれ一人で歩いている姿が多く目についた。

結局、高品さんが選んだ映画は「ハンニバル」だった。チケットを買う彼の後ろに並び、彼のあとについて劇場に入った。まだ明るい客席を、彼はうろうろと前から後ろへ、後ろから前へと歩き回り、なかなか席を決められない。しばらくドアの前で、そんな彼が椅子に落ち着くのを見ていると、結局、彼は足を伸ばせばスクリーンに届きそうな最前列の椅子に座った。

高品さんの二列後ろの席で映画を観た。途中、サウナの仮眠室であまり眠れなかったこともあり、少しだけ居眠りをしてしまったが、映画は評判通りグロテスクで面白く、最後にレクター博士が男の頭を割って脳みそをスプーンで掬《すく》って食べるシーンなど、思わず、「ウォッ」と声を上げてしまいそうになった。ふと、二列前の高品さんへ目を向けると、同じように身を乗り出してスクリーンに齧りついていた。

劇場を出た彼は、真っ直ぐに新宿駅へと向かった。駅構内の混んだコンコースを突き進み、小田急線の改札へ入っていく。

高品さんが乗り込んだのは、二分後に出る各駅停車の車輌で、超満員というわけでもなかったが、座席はすでに埋まっていた。乗り込んだドアの横がちょうどシルバーシートだった。高品さんは若い学生風の男に席を譲ってもらい、電車が発車すると熱心にパンフレットを読み始めた。

目の前の吊革を握って立っていたおれは、彼が広げたパンフレットを真上から覗き込むことができた。高品さんは一度だけ顔を上げ、パンフレットを覗き込むおれをちらっと睨んだが、数時間前、ロッテリアで隣り合わせたことは覚えていないようだった。

他人の家に初めて忍び込んだのは、まだおれが五歳の時だったらしい。当時おれは、失業中の親父と二人で多摩ニュータウンにある公団団地に住んでいた。その日は日曜日で、親父はテレビでゴルフ中継を見ていたという。うとうとしているうちに日が暮れて、ふと気がつくと、さっきまでそばで遊んでいた息子の姿がない。また団地の廊下か階段で遊んでいるのだろうと思い、それほど心配もせず捜しに出た。しかし、いつも遊んでいる踊り場に息子の姿は見当たらなかった。

焦った親父は、夕飯時でいい匂いの漂う団地の周辺を、息子の名を大声で呼びながら捜し回ったという。子供が消えたとなると、団地の主婦たちの団結は素早く、親父の声を聞きつけたおばさんたちがすぐに集まり、公園を捜す班、土手へ向かう班、各棟の防災係に連絡を取る班と、当の親父を無視して、あっという間に捜索隊が編成され、日の暮れた団地のあちこちで、青白い懐中電灯の光が交差した。

その時おれは、一階下の新婚夫婦の家にいた。新婚夫婦は外出中で、おそらく鍵をかけ忘れていたのだろう、勝手にその家に上がり込み、テレビを見ながら眠ってしまっていたのだ。発見されたのは、午後十時を回った頃だったらしい。外では、すでに数人の警官も加わった大掛かりな捜索が行われていたという。もちろん最初におれを発見したのは、銀座のデパートからいくつもの紙袋を提げて戻ってきた新婚夫婦で、駐車場に車を停めると、団地中が緊迫し、幼い男の子を捜している。若妻の方は、何度か階段や踊り場でおれが遊んでいる姿を見たことがあったらしく、一日中デパートを歩き回って疲れてはいたが、「荷物を置いたら、すぐに捜索に加わります」と婦人部長に告げ、足早に自分の部屋へ戻った。

若妻が階段を駆け上がると、玄関先に夫が立っていた。そして、「おい、鍵、かかってなかったぞ」と言う。「そんなはずはない」「いや本当だ」「最後に出たのはあなただ」「いやお前だ」と言い合いながら、二人はとりあえず家へ入った。薄暗い部屋に、青白いテレビの光が漏れていた。一瞬ビクッとしたらしい。青白い光に照らされた床に、仰向《あおむ》けでぐっすりと眠っている男の子がいた。

高品さんが電車を降りたのは祖師ヶ谷《そしがや》大蔵《おおくら》という駅で、京王線でいえば、ちょうど千歳烏山から真っ直ぐに南下した所に当たる。

改札を出た高品さんは、駅から延びる商店街をのんびりと歩き、入口にフロリダ産のオレンジが山積みされたスーパーに入った。中までついていこうかと思ったが、外で煙草を吸って待つことにした。ビニール袋を両手に提げた高品さんが出てきたのは、二十分後だった。彼は一瞬、店先に立つおれを見た。瞳の奥に、『あれ？』という色が浮かんだが、別段気にすることもなく、また商店街を歩き始めた。

商店街を抜け、日大商学部の前を通り、渋滞の世田谷通りを渡った。つい先日、良介と桃子に乗って、この先にあるケンタッキーに来たことがある。多摩川の土手に日灼けをしに出かけた帰りだった。

世田谷通りを渡ると、高品さんは団地の敷地内へと入っていった。ここに住んでいるのかと思ったが、ときおり立ち止まってスーパーの袋を持ち替えるだけの高品さんは、そのまま団地の敷地を通り抜けた。道は高い崖《がけ》の下に出た。崖の上にフェンスがあるところをみると、この上が世田谷総合運動場になっているらしかった。

高品さんの家は、その崖下にあった。古い一戸建ての二階家で、敷地全体が高いコンクリートブロックで囲まれていた。錆《さ》びついた鉄門を開けた彼は、一度も振り返ることなく、中へと入った。

刳《く》り貫《ぬ》かれたブロック塀から中を覗くと、玄関ドアに鍵を突っ込む高品さんの背中が見えた。家の中に人のいる気配はなかった。どの窓にもカーテンが引かれ、庭の花壇には、枯れたチューリップの葉が重なるように倒れている。

高品さんが玄関へ入ったあと、おれは鉄門の隙間をすり抜け、忍び足で玄関先まで近寄った。「高品忠義・春子《はるこ》」と書かれた表札が、少し歪んでかけられていた。二年前に亡くなった彼の奥さんは、春子という名前らしかった。おれは表札を真っ直ぐに戻した。そして、また忍び足で鉄門の隙間をすり抜けて外へ出た。いつでも忍び込めそうな家だった。

腕時計を見ると、四時になろうとしていた。仙川《せんがわ》沿いに成城《せいじょう》を抜けて烏山まで歩いて帰ることにした。最近、なんだか歩き出してばかりいるような気がする。たとえば、いつも立っている公園から、客と泊まったホテルから、連れ込まれた客のマンションから、熟睡できずに出たサウナから、スピードのオーバードースで最近布団に小便を漏らすようになった誠のアパートから……、いろんな場所から歩き出してばかりいるのだが、いつもいつも歩き出すばかりで、歩き着く場所というのがおれにはない。

直輝が十五の頃に決行したという家出の話を思い出す。たしか、彼の会社でバイトした時、一緒に昼飯を食べたラーメン屋で、実はおれが家出しているんじゃないかと疑われ、その流れから教えてもらった話だ。

ヒッチハイクをするつもりが、中央本線で小淵沢まで行き、そこでなんとかという支線に乗り換えたと直輝は言った。今ではなんという駅で降りたのかさえ覚えていないらしい。とにかく小さな無人駅を出ると、目の前に八ヶ岳が聳《そび》え、駅前に清里のペンションの看板なんかがあったから、「まぁ、あの辺りだったんだろうな」と笑っていた。

その駅で降りたのは直輝一人だけだったらしい。改札を出ると、ここ数年誰も通っていないような長い坂道が森の中へ延びていて、十五歳の直輝は特に目的もなく、その坂道をとぼとぼと下ったという。森の中からいろんな鳥の鳴き声が聞こえたらしい。

「そのうち粉雪が降ってきたんだよ。最初、ちらちら降り出したのが、あっという間にぼとぼと落ちてきてさ、吐く息なんか手のひらで摑めそうなくらい濃くて白いんだ。駅からは相当歩いてたし、雪が降り始めると急に山ん中って暗くなるんだよな。正直、心細くなったよ」

直輝は一応、ほとんど理由という理由のない家出の置き手紙を、両親宛てに残していたらしい。

「情けない話だけどさ。今なら、まだ親父たちがそれを読む前に帰れるんじゃないかって思ったよ」

次第に細くなる道の先に、山小屋が見えたのはその時だった。直輝は雑草を踏みつけ、けものみちに分け入り、その山小屋へ歩いていったという。

「山小屋というよりはロッジ風の小さな別荘でさ、何度かドアをノックしてみたけど、中には誰もいなかったんだ。考えてみれば、八ヶ岳といえば避暑地だもんな。で、諦めて駅へ戻ろうと思ったんだけど、ああいうのをなんて言うんだろうな、急にさ、急に『目の前にあるガラス一枚、お前は割れないのかよ』って誰かの声が聞こえてさ、別にどうしてもその山小屋に入りたいと思ってたわけじゃないんだぞ。それなのに、そんな声が聞こえると、なんていうか、入ってみたいような、入らなきゃいけないような、そんな気になるんだよ。もちろんその山小屋が他人の持ち物で、そこのガラス割って侵入すれば犯罪行為になるってことぐらい、頭では冷静に分かってんだよ。それなのにさ、なんていうのかな、今俺は家出中なんだってことに少し興奮してたのもあるのかな、その山小屋の中へさ、もっといえば、見知らぬ他人の持ち物であるその山小屋の中へさ、無理やり侵入してみたいっていうか……、無理やり自分の体を押し込んで、その山小屋自体を自由に動かしてみたいっていうか……、そんなヘンな衝動に駆られたんだよ」

直輝は足元に落ちていた石を拾った。とても冷たい石だったらしい。降り始めた雪は、すでに辺りの樹々の葉を白く染め始めていた。

「あの音。あのガラスが割れる乾いた音を、俺、未だに忘れられないんだ。なんていうのかな、山小屋全体から見れば、俺が割ったガラス窓なんて、ほんの僅《わず》かな部分でしかないんだけど、そこに小さな穴を開けた途端、なんていうのか、うまく言えないんだけど、その山小屋を、俺はもうちゃんと知ってんだよ。山小屋の方も俺を知ってるんだ」

直輝は心配そうにおれの顔を覗き込むと、「分かるか？」と訊いた。おれは素直に、「分からない」と答えた。

侵入した山小屋には、まだ賞味期限内の缶詰やら薫製のハムなんかが山ほど保管されていたらしい。そこで恐る恐る一夜を過ごした直輝は、翌日からはもっと大胆になったという。床下から薪《たきぎ》を出し、二日目の夜は暖炉に火を焚いた。火の前であたたかい毛布に包まり、生まれて初めてウィスキーを飲んだらしい。夜が明けると、真っ白な森を散策した。冬の日を浴びた真っ白な森を。

「あそこでの時間はほんとにすばらしかったよ。すばらしいなんて、今どき使わない言葉だろうけどさ、あそこで過ごした数日間は、ほんとにすばらしかったんだ。……すばらしかった、うん、マジですばらしかったんだ」

仙川沿いに成城を抜けて烏山のマンションに辿り着くまで、結局、二時間近くもかかってしまった。

玄関を開け、脱ぎ散らかされた靴の間にしゃがみ込んで、スニーカーの紐を解いていると、「あ、ほらほら、サトルくんが帰ってきたよ」と言う琴ちゃんの声がリビングから聞こえた。

「ただいま」と奥へ叫ぶと、「ちょっとぉ、早く来てよ」と訴える琴ちゃんの声と共に、ドタドタと音を立てて良介が玄関に出てきた。「どこ行ってたんだよ?」といきなり叱りつけるので、「なんで?」と少し脅えて尋ね返した。

「きのうから待ってたんだぞ」

「だからなんで?」

良介は問題集らしい本を腕に何冊も抱えていた。おれはスニーカーを脱ぎ、玄関に上がった。すると、「これ、ほら」と、良介が誇らしげな表情で、抱えた問題集をおれの胸に押しつけてくる。

「何、これ」

「何、これって、見りゃ分かるだろ。問題集だよ」

「問題集？」

良介の体を躱《かわ》してリビングに入った。成城から二時間も歩き通しで、早く柔らかいソファに座り込みたかった。リビングへ入った途端、いつものように上下スウェット姿の琴ちゃんが、「よかったぁ。サトルくんの代わりに私が大検受けさせられるところだったわよ」と笑った。

「大検？」

ソファに座ると、昨夜来、歩き通しだった脚の筋肉から、急激に力が抜けていくのを感じた。

「この前、多摩川にドライブ行った時、お前、言ってたろ？」

問題集を抱えた良介が、ソファの横に仁王立ちしていた。ぼんやりしていたので、ソファを蹴られるまで、自分が話しかけられているとは思わなかった。

「あ、おれ？　え？　多摩川？　行ったっけ？」

「ほら、お前が日灼けしたいっていうから、桃子で連れてってやったろ？」

「あ、帰りにケンタッキーに寄った時だ」

「そうそう。あん時、お前が言ってたろ？」

「だから、なんて？」

「『おれも大学行きたい』って」

良介は抱えていた問題集をテーブルの上に並べ始めていた。

「さぁ、もうあと戻りできないわよ。良介くん、やる気満々なんだから」

琴ちゃんがそう言って「数Ｉ」と書かれた問題集を、おれの方に突きつける。

「え？　この問題集、おれがやんの？」

「お前がやらないで誰がやるんだよ？　大検を受けるのお前だろ？」

「ちょ、ちょっと待ってよ」

おれは受け取りかけていた問題集から、慌てて手を引いた。

たしかに、多摩川の土手で良介と二人、生白い肌を灼いていた時、どんな話の流れからだったか大学の話になった。

「良介くんって大学卒業したらどうすんの？」と、なにげなく訊いた覚えがある。良介は、「田舎に帰るよ」と平然と答えた。

「え？　帰んの？　せっかく出てきたんだから、こっちで就職すればいいのに」

「やだね。三年いて、つくづく思い知らされた。俺には東京は向いてない。今だって夏休みや正月休みはほとんど向こうで過ごしてんだぞ」

「みんな知ってんの？」

「みんなって？」

「直輝さんたちだよ」

「別に言う必要もないだろ」

「じゃあ、卒業したらあのマンション出ていくんだ？」

おれがそんな当たり前のことを尋ねると、良介は何も言わずに肯いた。たぶんその直後だったと思う、「おれも大学とか行ったら、少しはなんか変わるのかなぁ」とたしかに呟いた。しかし、呟きはしたが、それはあくまでも呟いただけの話であって、今更そんな所へ行く気など毛頭なかった。

ただ、今思い返してみると、おれがそんな風なことを言った時、横でサンオイルを塗っていた良介の目が、キラッと光ったような気がする。そう、まるで獲物を見つけたような、そんな鋭い輝きだった。

「安心しろって、俺が命かけて、みっちり教えてやるから」

「いいよ！　命なんかかけてくれなくて」

おれはテーブルに積まれた問題集を、気づかれないように足で遠くへ押し退けた。すると、

「遠慮しなくてもいいって」と良介が押し返す。

「だから遠慮なんかしてないって！　それに、おれ、中卒だよ」

「知ってるよ。だから大検ってもんがあるんだろ？」

「いや、無理無理。ほんと無理だから」

「そんなもん、やってみなきゃ分かんないだろ！」

妙に熱のこもった良介の声に、思わず怯んでしまった。面白そうに、おれらの会話を聞いていた琴ちゃんが、「さぁ、もうあとには引けません。先生はやる気満々です」と冷やかして笑う。

「いや、ほんと無理」

そう言って、二人の前から逃げ出そうとしたおれの腕を、良介ががっしりと摑む。

「もう遅いよ。俺、やるって決めたんだから」

「いくら良介くんが決めたって、おれが無理だって言ってんだから」

「じゃあ、どうすんだよ、この問題集。わざわざ買ってきたんだぞ」

「そんなの知らないよ」

無理に振り払おうとした腕を、逆に引っ張られ、ほとんどスリーパーホールドに近い体勢を取られていた。首を絞められ、喘《あえ》いでいるおれを見て、「ものは試し、やってみればいいじゃない」と、琴ちゃんが軽く言う。

「絶対無理。だっておれ、分数計算もできないんだよ」

「だから教えるって！」

首を絞める良介の腕に力が入る。

「ちょっと、苦しいよ！」

「やるか？」

「無理だって！」

「じゃあ、放さない」

良介がますます力を込めてきた。首が締まり、口の中で舌が膨らんでいく。問題集をパラパラと捲っていた琴ちゃんが、「私もお手伝いするわよ。勉強は教えられないけど、ほら、たとえば夜食作ったり、洋服に御守り縫い付けたり、あとほら、『落ちる』とか『滑る』って言葉に敏感になったりして、母親みたいにそばでカリカリしてあげるから」と笑い出す。

「やるな？　やるだろ？」

そう言って脅す良介の声に反応したかのように、つけっぱなしだったテレビの画像が乱れ始めた。今どきテレビなんてそう高くもないのに、ここの連中は誰も新しいのを買おうとしない。最近では誰が一番うまく直せるか競い合ってさえいる。

おれは首を締めつける良介を引きずるような格好でテレビに近寄り、みんなに教えられた通り「強く、強く、弱く」拳《こぶし》でテレビの側面を叩いた。

「テレビなんてどうでもいいんだよ。やるか？　やるな？」

締めつけてくる良介の腕から逃れるためだけに、「分かったよ。やるよ、やるから」とおれは答えた。

良介の腕からやっと解放され、喉を押さえて激しく咳《せ》き込むおれの隣で、「なんか、家に受験生がいるって緊張感あるよね」と、琴ちゃんが無邪気に喜んでいた。

正直なところ、ここにも少し長居しすぎたのかもしれない。こいつらのおままごとに付き合っていると、大検どころか、今に一流企業に就職までさせられちまう。

伊原直輝（28歳）インディペンデントの映画配給会社勤務

5・1

きょう、親知らずを抜いた。いや、もしかすると、まだ抜かれていないのかもしれない。舌の感覚がないので、それさえも分からない。医者からはこう言われた。「麻酔の効きが悪いようなので、普段の倍の量を打ちました」おそらく、あまり眠らずに治療を受けたせいだろう。

歯科医院は、駅の反対側にあった。抜歯後、受付で痛み止めの薬をもらい、感覚のない顎を押さえて会計をしていると、待合室のビニールソファに座った男の子が、ひどく怯えた目でこちらを見ていた。安心させてやろうと思い、男の子に微笑みかけたのだが、その子はビクッと体を震わせて、慌てて視線を逸らしてしまった。倍の量の麻酔のせいで、うまく笑えていなかったのかもしれない。

歯科医院を出て、駅前商店街を歩いた。踏切りで通過電車を待つ間、いつもなら苛々させられる警鐘が、遠くにしか聞こえなかった。体中の感覚が、麻痺しているようだった。

マンションへ戻り、玄関を開けると、リビングから琴ちゃんが飛び出してきた。その後ろに、二日酔いらしい未来が寝不足の青白い顔で立っている。

「琴がキャッチセールスに引っ掛かったんだって、どうすればいいの？」

そう訊いてきたのは未来の方で、琴ちゃんはその前でしゅんとしている。

「キャッヒヘールス？」

麻酔でうまく口が動かなかった。もう一度言い直そうとすると、今度は唇の間から涎《よだれ》がこぼれた。とにかく詳しく話を聞くからと、俺は二人の背中を押してリビングへ入った。土曜日の午前中だというのに、リビングでは良介が数学の問題集をサトルに解かせていた。勉強を中断した良介とサトル、ハイチオールCを飲む未来、顎を押さえた俺の前で、琴ちゃんが事の経緯を話し始めた。

きのうは十一日ぶりに丸山友彦と会っていたらしい。恵比寿のホテルを出たあと、一人でぶらぶらと道玄坂辺りを歩いていると、若い男に声をかけられ、暇潰しについていったエステサロンで、高額な化粧品を売りつけられたという。周りのテーブルで他の客たちが次々に契約していくので、なんとなく断れなくなってしまい、琴ちゃんも総額四十万円のエステ券と化粧品を分割払いで買ってしまった。本人は今朝起きるまで、『あれはちゃんとした買物で、決して騙されたわけじゃない』と思い込もうとしていたらしいのだが、やはり四十万という大金は、胸の中にしまっておける金額ではない。二日酔いで唸っている未来を叩き起こし、どうすればいいのだろうかと相談した。そこへ歯を抜いた俺が戻ってきたらしい。

「きのう契約したんだったら大丈夫だよ」

俺はうまく動かない口でそう言った。「消費者センターに電話して、相手先に内容証明を送りつければ、それでオッケー。心配しなくて大丈夫だよ」と。

青ざめていた琴ちゃんの顔に、血の気が戻る。

「ほんと？」

「ほんとほんと。とにかく消費者センターに電話してみれば」

そう言ってソファを立った。早く、自分の口の中がどうなっているのか、洗面所の鏡で確認したかった。

洗面所で鏡の前に立つと、抜かれた歯がステンレスの皿に置かれた時のコツンという音が思い出された。実際に抜かれた歯は見せてもらえなかったが、血や唾《つば》で汚れた歯が、今、手を添えている洗面台にコツンと落ちたような気がした。もちろん洗面台には、血で汚れた歯など落ちておらず、代わりに琴ちゃんのだろうか、長い黒髪がクエスチョンマークの形で貼りついている。

口を開け、鏡を覗き込もうとすると、背後のドアが開いた。

「電話したら、ほんとに大丈夫だって。これから内容証明書、もらってくるね」

鏡に映った琴ちゃんが言う。口を大きく開いたまま、俺は鏡に向かって肯き返した。

何度か、用心深く口をゆすいで、血と涎の混じった水が、排水口へ流れ込む様子を眺めた。

洗面所を出ると、勉強していたはずの良介とサトルの姿はなく、代わりに未来が頭を押さえてうめいている。彼女の前に立つと、「抜いてきたの？」と訊くので、「ほら」と口を開いて見せた。

「痛い？」

「いや。感覚ない」

「麻酔切れたら、痛むんじゃないの？」

「だろうな」

「今夜、付き合ってあげようか？」

「なんに？」

「お酒でも飲まなきゃ、痛くて眠れないでしょ？」

自分は二日酔いで頭を押さえているくせに、よくそんなことが言えると、つくづく感心する。やさしいのか、それともただ酒が飲みたいだけなのか。

「良介たちは？」

俺がそう尋ねると、未来は「さぁ」と首を傾げたあと、「琴についていったんじゃないの？」と言ってソファから立ち、尻を掻きながら女部屋へ姿を消した。

琴ちゃんに姐御肌《あねごはだ》なところがあるとは思えないが、サトルたちは妙に彼女に懐《なつ》いている。リビングから台所へ抜け、ボルヴィックをがぶ飲みした。まるで薄い血を飲んでいるようだった。溜まっていた洗濯物を片付けようと男部屋に入ると、ベランダに良介の背中があった。琴ちゃんについていったのは、サトルだけだったらしい。スパルタ家庭教師の良介から、逃げ出す口実にでもしたのだろう。

洗濯カゴを抱えてベランダに出た俺は、「何やってんだよ？」とその良介の背中に声をかけた。柵に凭《もた》れ、眼下の旧甲州街道を見下ろしている良介が、「ん？　いや、不思議だなぁと思ってさ」と振り向かずに答える。

「何が？」

良介の横から顔を出し、眼下の通りを見下ろしてみた。別段、不思議な光景などなかった。いつものように、片側一車線のアスファルト道路を車が走り、真下にある信号が赤になれば停車する。

「何が？」

俺はもう一度そう訊いた。

「だってさ、ぜんぜんぶつからないだろ？」

良介が何を言いたいのか分からなかった。ちらっとその横顔を見てみたが、もちろん答えなど書かれていない。

「ほら、ああやって走ってきてもさ、赤信号になると、こうやって前の車と一定の間隔を空けて、ちゃんと停まるじゃない。一日に何千台って車が走ってきて、ここで停まってるのに、一台もぶつからないって不思議じゃない？」

ベランダの柵に顎を載せ、下の通りを見下ろし続ける良介が、「うん、やっぱ、不思議だよ」ともう一度言う。たしかにそうだが、別に感心するほどのことでもない。俺は何も答えずに柵を離れて、洗濯を始めた。洗濯槽に誰かの靴下が片方だけ残っていた。

洗濯槽に水が溜まる様子をしばらく眺めたあと、便所に入った。手持ち無沙汰で、足元に置いてあった芳香剤を手に取り、そのぶよぶよした容器を潰していると、中身のゼリーが溢れそうになって、慌ててやめた。芳香剤とはなんの関係もないが、百地さんに旅行トランクを貸すと約束していたことを、ふと思い出した。来週、社長と百地さんはカンヌ映画祭に出発する。

大学時代のバイトから数えると、今の会社に勤務して丸八年になる。まだカンヌへは行ったことがないが、ベルリンとヴェネチアならすでに二度ずつ経験している。先月カンヌの事務局から送られてきたパンフレットを見ると、今年の出品作は去年よりも面白そうな作品が多かった。社長と百地さんは、パルムドールをデヴィッド・リンチの新作だと予想していたが、日本贔屓《びいき》な俺としては「うなぎ」や「カンゾー先生」はつまらなかったにしろ、それでも日本の巨匠今村昌平《いまむらしょうへい》監督の世界初三度目の受賞を期待している。各映画祭にはもちろん買い付け目的で行く。ただ、今年のカンヌに限っては資金面から、よほど条件のよい作品がない限り、手を出さないということで社内の意見がまとまっている。

便所を出て、旅行トランクを出そうと男部屋の押入れを開けた。ベランダには、まだ通りを見下ろしている良介の背中があった。その横で、大袈裟な音を立てて洗濯機が回っている。

良介のテニスラケットやスケボーを掻き分け、旅行トランクを奥から引っ張り出した。最後に使ったのは、たしか去年ロスで開かれた映画祭AFMに参加した時だ。部屋の真ん中に出し、蓋を開けてみると、まだ値札をつけたままのBANANA REPUBLICのシャツが入っていた。美咲へのプレゼントに買ってきたのか、シャツは女物だった。

トランクの中にはシャツ以外にも、泊まったホテルのアメニティグッズや行き帰りの飛行機で読んだ本がそのまま入っていた。三冊とも裏表紙に読み終わった日付がボールペンで記されている。日付順に並べてみると、J・G・バラード著「クラッシュ」、G・アポリネール著「一万一千の鞭《むち》」、池澤夏樹《いけざわなつき》著「マシアス・ギリの失脚」となった。

床にしゃがみ込み、パラパラとページを捲っていると、洗濯機のブザーが鳴った。高校の後輩である梅崎が、その後輩である良介にくれたというこの洗濯機は、今どき二槽式で、続けて脱水はしてくれない。

下の通りから、車のぶつかる音がしたのは、洗濯物を脱水槽に移し替えていた時だった。柵に顎を載せていた良介が、「あ！」という短い悲鳴を上げたので、慌ててベランダの柵へ寄った。良介の背中に被さるようにして通りを見下ろすと、白いセダンが業務用のバンに突っ込んでいた。セダンのボンネットが少しだけ潰れ、微かに灰色の煙が出ている。ぶつけられた方のバンは、リアガラス全体に細かい罅《ひび》が広がっていた。

目の前に、良介の顔があった。まるで歯科医院の待合室にいた男の子のような顔だった。

「う、うわ、ぶ、ぶつかったよ」

「お、お前がヘンなこと言うからだろ！」

もちろん、さっき良介が言っていたことと、この事故はなんの関係もない。

先に車を降りたのは、ぶつけられたバンの運転手の方で、怪我はなかったらしく、しっかりとした足取りで白いセダンに近寄り、運転席で茫然《ぼうぜん》自失となっている中年女性を、窓を叩いて我に返らせた。女性はハンドルに顎を載せ、ぼんやりと潰れたボンネットを眺めていたが、ガラス窓をノックする音に気づいたらしく、とつぜん頭を上下させて謝り始めた。残念ながら二人の声までは聞き取れない。

「お、お前、見てたの？」

良介の肩を叩くと、「み、見てたよ。ぜんぶ、見てた」と興奮気味に答える。

「ふ、普通に走ってきてさ、普通に停まるかと思ったら、そのままドンって……。交通事故って見たことあったけど、真上から見たの初めてだよ。俺、思わず、手、伸ばしちゃったよ」

「ここから手を伸ばしてどうすんだよ？」

「いや、マジで止められそうだったんだって！」

白いセダンの後ろに停まっていた車が、二台の事故車を避けて走る新たな流れを作っていた。対向車線の方は、すでに良介が言うところの「普通」に戻り、事故車があっても、信号が赤になれば停まり、青になれば走り出している。

切りがないので、見物を中断して洗濯に戻った。脱水槽に中蓋を押し込んでいると、再び、良介が「あっ」と叫ぶので、慌てて良介の背中に飛びついた。彼が指し示す方へ目を向けると、事故現場を囲んだ野次馬の中に、琴ちゃんとサトルの姿があった。

「お～い！」

横で良介が叫ぶ。野次馬たちの目が一斉にこちらに向けられて、思わず俺は良介の背後に姿を隠した。「見てたのぉ！」と叫ぶ琴ちゃんの声がはっきりと聞こえる。良介は野次馬たちの視線などまったく気にならないらしく、「見てた、見てた」と、誇らしげな顔で二人に手を振った。

事故現場に現れた三人の警官が、手際よく現場検証を始めた頃、脱水が完了した。

リビングでは消費者センターの人に教えてもらった通りの文面を、内容証明書に清書する琴ちゃんがおり、その横で改めて参考書を開いたサトルに、良介が三角関数の問題を解かせている。当初は何かと理由をつけ、良介から逃げ回っていたサトルだったが、ここ数日、良介がバイトに出かけたあとも、一人リビングで問題集を解いているらしい。

洗濯物を干し終わってリビングへ戻ると、琴ちゃんは郵便局へ出かけたあとで、テーブルでは向かい合った良介とサトルが、「これ、きのうもやった問題だろ！」「やってないよ！」と、互いに口を尖らせ、ムクれた顔を突き合わせていた。俺はなんとなく奥歯を触ってみた。まだ歯茎に感覚はなかったが、口の中に微かな洗剤の味がした。

「いいよ。じゃあ、解答欄見ろよ！」

良介が投げやりにそう言ってトイレに立った。素直に解答欄を開こうとするサトルに、

「大変だなぁ」と労《ねぎら》いの言葉をかけると、「大変どころじゃないよ！　これ毎日やってんだから」と逆に八つ当たりされた。

「お前、ほんとに大学行くの？」

テーブルに積まれた問題集をパラパラと捲りながら、何気なくそう尋ねた。

「行くわけないだろ。そんな金、おれにあると思う？」とサトルが答える。

「だったらなんで勉強してんだよ？」

「だってあの調子だよ。断れないって」

サトルは顎をしゃくって良介が入ったトイレの方を指した。

「お前、良介のために勉強してんの？」

「別にそういうわけでもないけどさ……」

早々とトイレを出てきた良介が、ちらっと男部屋を覗き込み、トランクが出してあるのを見て、「あれ、直輝さん、どっか行くの？」と訊いてきた。さっきベランダから戻った時には、事故に興奮していてトランクが出されていることに気づかなかったらしい。

「いや、会社の人に貸すんだよ」

そう答えると、横で解答欄を見ていたサトルが、「会社の人に何を貸すの？」と訊いてくる。

「来週、百地さんがカンヌ行くんで、トランクを貸してやるんだよ」

「カンヌに？　百地さん一人で？」

「いや、社長と二人」

「じゃあさ、その間、また手が足りなくなるでしょ？　おれ、バイトできるかな？」

「お前、またうちでバイトしたいの？　今の仕事、ほんとに辞めんのか？」

そう尋ねると、サトルはゆっくりと視線を逸らし、「別にまだ決めたわけじゃないけど……」と曖昧な返事をした。手にしていた問題集をテーブルに投げやり、「今度、社長に訊いといてやるよ」と、俺はサトルの肩を叩いた。

その時、女部屋から出てきた二日酔いの未来が、台所へ向かいながらちらっと男部屋を覗き込み、「あれ、直輝、どっか行くの？」と良介と同じことを訊いた。俺がまた同じ返事をしようとすると、横にいたサトルが、「会社の人がカンヌに行くから貸してやるんだって」と代わりに答える。「会社の人って？」と続けて尋ねてきた未来に、「百地さんって人だよ」と答えたのもサトルだった。

5・2

日曜日にもかかわらず、午前中から出勤した。来週、我が社が宣伝のみを担当する韓国映画の主演女優が来日することになっていた。キャピトル東急で行われる「エスクァイア」や「エル・ジャポン」などの雑誌取材スケジュールを、今日中に調整し直さなければならなかった。きのう麻酔が切れたのは、夕方の遅い時間で、案の定すぐに疼《うず》き出した。慌てて痛み止めを二錠飲んだのだが、「お酒でも飲まないと眠れないでしょ」と言った未来の予言が的中し、彼女が仕事から戻ってくるのを待って、駅前の豆腐料理屋へ飲みに出かけた。もちろんアルコールなど厳禁だったが、お陰で朝まで一度も目を覚まさずにぐっすりと眠れた。ただ、朝起きてちゃんと痛み止めを飲んできたにもかかわらず、ＰＣの前でキーボードを打ち出すと、また奥歯が疼き始めていた。

会社に美咲から電話があったのは、夕方の六時前で、すでに仕事は終わっており、珍しく他に誰も出社していなかったので、ちょうど美咲が薦めてくれていた台湾映画「恋恋風塵」を近所のビデオ屋で借りてきて、会社の大画面テレビで観て帰ろうかと思っていた時だった。

電話で美咲は、「きのうまで母親がこっちに来てたのよ」と言った。なんでも俺へのおみやげを預かっているらしく、今夜どこかで食事しようと言う。お互いにいくつか候補の店名を挙げたあと、結局、四谷にある小さなイタリア料理店で待ち合わせることにした。美咲は先週も烏山のマンションに遊びに来ていた。彼女が頻繁に俺と会いたがる理由は一つしかない。彼女の口から恋人の愚痴を聞かされるのは、あまり気分のいいものではない。

会社を出たのは七時過ぎだった。ＰＣの電源を落とし、コピー機の用紙を補充して会社を出ようとすると、ファックスが届いた。なんとなく気になって中へ戻り、用紙が出てくるのを待った。送られてきたのは、来月号のアルバイト情報誌に載せるらしいバイト募集広告のゲラで、事務（電話応対含む）週三日以上・時給八百円・学生可と書かれてある。最近、会社が留守になることが多いので、電話番のアルバイトを雇うかもしれないと社長が言っていたのを思い出した。俺は届いたファックスの裏に「心当たりがあるので、ペンディングしておいて下さい」と走り書きし、社長の机に置いて会社を出た。

イタリア料理店へ着くと、すでに美咲が待っていた。赤いタータンチェックのテーブルクロスの上にラルフローレンの紙袋が置いてある。美咲は機嫌がよさそうで、新宿のホテルに二、三日滞在していたらしい母親の話を、こちらがまだ席に着く前から話し出そうとした。ラルフローレンの紙袋の中身は、濃紺のサマーセーターだった。

「お母さん、なんか言ってた？」

セーターを胸に当てながらそう尋ねると、美咲は少し意味深な顔をして、「言ってたわよ。まだあんたのこと、迎えに来ないのかって。だらしない男ねぇって言ってた」と笑った。

「どう？　似合う？」と俺は訊いた。

「もう先に注文しちゃったけどいいよね？」と美咲は答えた。

たまに美咲の母親から電話がかかってくることがある。もちろん、美咲がうちを出ていったことは知っている。美咲の母親は、たいてい十五分ほどいつもの愚痴を溢すと、「あ〜すっきりした」と言って電話を切る。そして、いつも切り際になると、「直輝くんも、そろそろ新しい彼女ができたんでしょ？」と尋ねてくる。美咲の母親の愚痴には三通りしかない。損害保険の代理店をやっている夫への愚痴。野暮ったい中年男と暮らし始めた一人娘美咲への愚痴。そして、そんな娘を放っておく甲斐性のない俺に対する愚痴。

美咲とは、別れてからも月に二、三度は顔を合わせているので、一緒に食事をしていても、これといって目新しい話題はない。美咲とはたったの二年間しか付き合っていない。ただ、この先も彼女との関係は間違いなく続いていくような気がする。彼女の方でも少なからずそう思っている、と思う。ときどき美咲も、「たった二年間の思い出で、一生付き合っていけるなんて、私たちってかなり効率いいわよね」というようなことを言う。

美咲が注文していたのはパスティッチョという肉パイだった。肉汁したたるパイにナイフを突っ込み、丁寧に切り分けていると、「ねぇ、もしかして機嫌悪い？」と、とつぜん美咲に訊かれた。たしかに、奥歯の疼きを感じながら食事をしていたので、『きのう、親知らずを抜いたんだ』と言えば済むことだったのだが、なぜかしら俺はそれを彼女に告げず、「別に。機嫌悪くないよ」とだけ答えた。自分でもうまく説明できないのだが、彼女の目に不機嫌と映った今夜の自分の態度を、抜歯のせいだという事実で、簡単に片付けられたくないような、そんななんとも曖昧な気持ちからだった。

のんびりとデザートを食べ、店を出た時には九時半を回っていた。もう一杯どこかで飲んで帰ろうと決めて店を出たのだが、路地を抜け表通りに出た場所が、ちょうど地下鉄の入口になっていて、特にどちらからというわけでもなかったが、なんとなく今夜は帰ってもいいような、そんなしらけた雰囲気になり、そのまま地下鉄への階段を降りてしまった。

有楽町線に乗る美咲とは、地下鉄の切符売場で別れた。同棲中の男が三年前に買ったという晴海の高層マンションに、現在彼女は住んでいる。もちろん俺はそこへ行ったことがないし、四捨五入すれば五十になるという独身男が、一体どんなマンションを購入するものなのか想像もつかない。ただ、何度か遊びに行ったことのあるらしい未来からは、「うちのマンションとは月とスッポン。向こうがエリザベス・テイラーなら、こっちはディバインよ」と、よく分からない説明を受けている。

千歳烏山の駅に着き、日毎に夏の匂いを感じさせるようになった夜風に当たりながら商店街を歩き始めた。休日出勤だったのでスーツは着ておらず、ポロシャツの首筋から入り込む風が、胸元をやさしく撫でた。

途中、ビデオ屋に寄った。駅前の小さなレンタル店に「恋恋風塵」は入荷していなかった。特に何を探すでもなく、ぶらぶらと店内をうろついていると、監督別に仕分けされたコーナーで、サトルと同年代くらいのカップルが、キューブリックの「2001年宇宙の旅」を手に取り、「これエイリアンとか出てきたりするのかな？」などと話していた。微笑ましくなった俺は、知らず知らずに彼らをじっと見ていたのかもしれない。その視線に気づいた男の方が、『なんだよ』とでも言いたげな、迷惑そうな表情でこちらを睨んでいた。

その場を立ち去りながら、『その映画に出てくるのはエイリアンなんかじゃなくて、もっと恐ろしいもんだよ』と、俺は心の中で教えてやった。

小学生の頃だったから、もちろんリバイバル上映だが、俺は映画館で「2001年宇宙の旅」を観た。それまでにも、父と一緒に映画館へ行ったことは何度もあったし、テレビで放映される映画についても、周りの友達に比べれば、かなり観ていた方だと思う。小学生の分際で、「ひまわり」というイタリア映画でソフィア・ローレンが列車に飛び乗る別離シーンに涙したり、「アラビアのロレンス」に将来の自分の姿を重ね合わせ、胸苦しさを感じたりしていた。ただ、映画館で「2001年宇宙の旅」を観た時の胸苦しさは、それまでとは比べものにならなかった。「エクソシスト」でさえ平気だった俺が、胸苦しさを通り越して、恐ろしくて仕方なかったのだ。悠久の時を駆けるあの有名なラストシーンを眼前にしながら、なんというか、この世界には自分のような人間には到底理解の及ばない、途轍《とてつ》もなく巨大で異質な物があって、その前で自分のような人間などは、まるで塵《ちり》のように吹き飛ばされてしまうのだと、子供心に直感していた。

父に手を引かれて映画館を出る時、自分の体から骨という骨がすうっと抜かれてしまっているような気がした。体がぶよぶよとした肉の塊でしかないようで、「面白かったか？　ちょっと難しかったろ？」などと訊いてくる父に返事さえできなかった。この映画を観た自分が、怒っているようでもあり、哀しんでいるようでもあった。ただ、その怒ったり哀しんだりしているのが、本当に自分なのか――、たしかに今、自分の身近にあるこの怒りや哀しみが、一体誰のものなのか――、それがまったく分からなかった。

結局、ビデオ屋では何も借りずに家へ戻った。玄関を入ると、リビングが真っ暗で、女部屋にも男部屋にも誰もいないようだった。こんなに暗い部屋へ戻るのは久しぶりで、後ろ手でドアを閉めると、なんとなく真っ暗な玄関に突っ立っていた。暗闇でじっとしていると、忘れていた奥歯の疼きを再び感じた。誰もいない家の中はシンとしていて、窓の外から通りの音だけが微かに聞こえる。

靴を脱ぎ、真っ暗なリビングへ入ると、意識しているわけでもないのに、自分の息遣いまではっきりと聞き取れた。その時だ。

「あんたじゃないよね？」

暗闇に、とつぜん未来の声がした。俺は思わず、「ぎぇ」と情けない悲鳴を上げてしまった。

「な、なんだよ、いるんなら電気くらいつけろよ！」

自分の情けない悲鳴を掻き消すように、無理に大声で叫び、壁のスイッチに手を伸ばした。

何度か点滅してついた蛍光灯の下に、顔色の悪い未来が正座していた。

「な、何やってんだよ？　そんなとこで」

彼女の雰囲気から、こちらを脅かそうとする悪戯《いたずら》ではないとすぐに分かった。

「あんたじゃないよね？」

正座した未来がもう一度ゆっくりと言う。なぜかしら、手にビデオテープを握り締めている。

「だから、何が？」

「押入れの私の荷物、漁《あさ》ったりしてないでしょ？」

未来は床の一点を見つめたまま、まったく視線を動かさなかった。

「お前の荷物？　なんで俺がそんなの漁るんだよ」

正座した未来に、俺はまだ近づけないでいた。

「良介でも琴でもない。あんたでもないんなら、犯人はサトルね。……サトルをここから追い出して！　今すぐに！」

未来はそう叫ぶと、握っていたビデオテープを壁に投げつけた。ガシャと乾いた音が響いて、床で跳ねたビデオテープが俺の足元に転がってきた。何が何やら、俺にはさっぱり分からなかった。

5・3

きょうは会社で伝票整理に明け暮れた。社員が少ないせいで、経理関係の仕事は、ほとんど俺が、暇を見つけてやっている。午後、税理士事務所の女性が伝票を回収に来て、「一日でやろうとするからいけないんですよ。毎日少しずつでもやってれば、なんてことない作業なんだから」と先月と同じ注意を受けた。

アルバイト情報誌に載せるはずだった募集広告は、すでに社長が電話で断ってくれたらしかった。「ほら、この前、宛名貼りの手伝いに連れてきたサトルですよ」と俺が言うと、「あ、あの子。バイトでいいんなら、来てもらってよ」とその場で採用が決定されていた。

税理士事務所の女性が帰ったあと、社長と一緒に遅いランチに出た。「久しぶりにおいしいものが食べたいわ」という社長に連れられて、ニューオータニの石心亭《せきしんてい》へ向かう途中、最近NHKで見たという番組の話を、とつぜん社長が始めた。

なんでも、ニューヨークで暮らす最下層の人々に、イスラム教を布教して回る青年のドキュメントだったらしく、社長の話がどこまで正確かは不明だが、番組の中で、青年がヤク中に苦しむ中年黒人女性に向かって、「信じれば、これまでの人生は白紙に戻ります」と言ったらしい。中年の黒人女性は数日後にイスラム教に改宗し、その青年からコーランを受け取りながら、「これで私の人生が白紙に戻るのね」とジャンキー特有の血走った目に涙を溢れさせていたという。

話し終わった社長が、「どうよ？」と訊くので、「どうもこうも」と俺は答えた。

石心亭のランチは、赤松鯛かフィレ肉のどちらかだった。社長が赤松鯛を注文したので、俺はフィレ肉を頼むことにした。

食事を済ませてホテルを出ると、二人でのんびりと紀尾井坂《きおいざか》を上った。坂の突き当たりに遊歩道が延びる土手があり、眼前には上智大学のグラウンドが広がり、遠くには迎賓館の屋根が微かに見える。少し休んでいこうと言い出した社長と並んでベンチに座った。空が真っ青だった。日差しはすでに、夏の匂いがした。しばらくぼんやりしていると、お揃いのジャージを着た麹町中《こうじまちちゅう》の子供たちが、重い足取りで遊歩道をランニングしてきた。頬を紅潮させ、初夏の日を浴びた額には玉の汗を浮かべている。走り抜ける彼らの足元から、乾いた土の匂いが立つ。

「あ、そうだ。伊原くんに紹介したい子がいるんだった」

横でとつぜん社長がそう言った。「いいですよ。自分で探しますから」と、慌てて断ると、

「もしかして、まだ別れた彼女とウジウジやってんの？」と社長が笑う。

「こうやってウジウジやってんのが、恋愛の醍醐味《だいごみ》でしょ？」

「それ、本気で言ってんの？」

今年、四十一歳になる社長は、どこで見つけてくるのか、良介と同い歳の大学生と付き合っている。いつだったか、酒の席で、「社長の好きな男のタイプってどんなんですか？」と尋ねたことがあった。社長は本気とも冗談とも取れる口調で、「私の好きなタイプは、聖フランチェスコ会のモットーと同じよ」と答えた。ちなみに聖フランチェスコ会のモットーとは「清貧・童貞・服従」らしい。

夕方からは、試写用パンフレット制作チームの会議に出た。いつものように、出資率が一番高い某商社の某部長の提案するアナクロなデザイン&コンセプトが採用された。会議室を出ながら、一つも自分の案が採用されなかった百地さんに、「作品は中身で勝負！　中身で！」と多少デスペレートな声をかけ、やさしく肩を叩いてやった。

その後、会社へは戻らず、一人で青山の「Halcyon」に飲みに行った。マスターが、「も

うすぐ未来ちゃんも来るよ」と言うので、捕まるとまた朝まで付き合わされると思い、慌てて席を立とうとしたその時、すでにどこかで一杯引っかけてきたらしい未来が、彼女が働く雑貨店の社長・慎二さんを伴って現れた。未来はカウンターにいる俺を見つけると、すぐに駆け寄ってきて、「サトルに言ってくれた？」と酒臭い息を吐きかけてきた。「何を？」と、俺はしらばっくれた。

「なにが『何を？』よ。あいつを追い出してくれって頼んだでしょ！」

「だからあいつが何したんだよ？　理由も分からずに、ただ『出ていけ』なんて、今更言えないだろ？」

マスターが出してくれた苺を、白ワインで流し込みながらそう答えた。それでも未来は、「だから私の荷物を勝手に見たのよ！　すぐに追い出して！」と繰り返す。

当のサトルに理由を尋ねようにも、未来の癇癪《かんしゃく》を怖れて、ここ数日うちに寄りつかず、未だに訊けないでいる。未来や俺が仕事に出かけている昼間には、こっそりと戻ってくることもあるらしいのだが、琴ちゃんが未来を怒らせた理由を尋ねても、「悪気はなかったんだ。だけど気に障ったのなら、反省してるからって伝えといて」と答えるだけで、何をしたのかという肝心なことは言わないらしい。「日記かなんか勝手に読んだのかもしれないな」という俺の意見は、「日記なんかつけてないわよ」と、やけに自信たっぷりな琴ちゃんに否定されている。

明日、午前中に会議があることを思い出し、「先に帰るぞ」と言って席を立った。「ちょ、ちょっと待ってよ」と慌てて未来が腕を摑むので、「だったら言えよ。サトルが何したんだよ？」と改めて訊いた。

「分かったわよ。言うわよ。言えばいいんでしょ？　でも、言うんだから、ちゃんとあいつのこと追い出してよ」

未来はそう前置きして、サトルが犯したという悪行を語り始めた。

結果、やっぱり俺は、未来の手を振り払って店を出た。『私が大切にしていたビデオテープに、上から「ピンク・パンサー」を録画した』だと……。言わせてもらえば、ツメを折っとけってだけの話だ。その上、大切にしていたテープに入っていたのが、いろんな映画のレイプシーンばかり。サトルでなくても、そんなもの消してしまいたくなるに決まっている。

店を出る俺の背中に、「ちょっとぉ！」と叫ぶ未来の声が聞こえた。

未来には泥酔すると所構わず眠ってしまう癖がある。ある時など、いざ帰ろうとみんなで席を立ったのだが、さっきまで騒いでいた未来の姿がない。先に一人で帰ったのかもしれないと、みんなは未来を捜すこともなく、ソファに積まれた各々のコートを羽織り始めた。未来はそれらコートの下で眠っていた。どんな夢を見ているのか、幸せそうな笑みを浮かべ、すやすやと寝息まで立てていた。よく窒息しなかったものだと思う。ときどき、何が哀しくてそんなに飲むのかと、未来に訊いてみたくなることがある。

千歳烏山駅前のサーティワンでアイスクリームを買って帰った。リビングには琴ちゃんの姿しかなく、良介はバイトのあと貴和子ちゃんの所へ泊まりに行き、相変わらずサトルは未来を怖れて戻っていないらしかった。

どこか表情の暗い琴ちゃんに、箱の中から好きなアイスクリームを選ばせ、切り子硝子《ガラス》の皿に移してやった。日毎に琴ちゃんは、このリビングの主としての貫禄がついてくる。最近では、別に決まっているわけでもないのに、琴ちゃんがいつも座っている場所には、彼女がいなくても誰も座らない。ピザ屋のクーポンや買い置きのティッシュが、どこにあるか即答できるのも琴ちゃんだけだ。

スプーンに載せたアイスクリームを口の中にも運ばず、ただぼんやりと見つめている琴ちゃんに、「どうしたの？」と俺は尋ねた。そして、尋ねておきながら、返事も聞かずに男部屋へ入ってスーツを脱いだ。タンスの前でネクタイを外していると、入口に突っ立っている琴ちゃんの姿が鏡に映っていた。思わずビクッとして振り返った。手にスプーンを握ったままの彼女が、ネクタイを外す俺の背中をじっと見ている。ふと嫌な予感がして、「きょうさぁ、『Halcyon』で未来と会っちゃって、酔っ払ってんだよねぇ」と思わず予防線を張った。

「ねぇ、直輝くん……、ちょっと相談があるんだけど……」

ほらきた、と俺は思った。それでも、なるべく表情を変えないように、「何？」と尋ねた。琴ちゃんの相談など、丸山友彦とのことに決まっている。本当に申し訳ないのだが、疲れて帰ってきた夜の、その手の相談は面倒臭い。

「どうしたの？　うまくいってないの？」

ワイシャツのボタンを外しながら、なるべく目を合わせないようにそう尋ねた。俯いた琴ちゃんが、相変わらずタンスの鏡に映っている。

「あのね、まだ誰にも言ってないんだけど……」

「うん。何？」

そう返事をしながらも、『誰にも言ってないんだったら、俺にも言わないでくれよ』と、心の中で呟いた。

「あのね、もちろん注意はしてたんだけど……」

そこまで聞いて想像がついた。俺はワイシャツを脱ぎ捨て、ただ、「うん」と言った。

「まだ丸山くんにも言えなくて……」

アディダスのスウェットに着替え、琴ちゃんの背中を押して男部屋を出ると、リビングのソファに、とりあえず二人で腰掛けた。

たとえば琴ちゃんのお腹《なか》の子が、自分の子だったらどんなに楽だろうかと俺は思う。「とにかく明日話そう。明日」と答え、電気を消してさっさとベッドに入ってしまえば、多くを語らずとも立派な答えになってしまう。ただ、琴ちゃんのお腹にいるらしい子は、残念ながら俺ではなく、テレビでしか見たことのない俳優の子で、もっと言えば、琴ちゃん本人だってこの数ヶ月間たしかに一緒に暮らしているとはいえ、俺にしてみれば、単なる友人の一人でしかない。実際、この距離感が難しい。邪険にできるほど近くもなく、かといって、その場だけ親身なふりをして済ませられるほど遠くもない。

「先に、丸山くんに相談するのが筋じゃないかな？」

とりあえず、俺はこの相談から逃げ出す準備を始めることにした。

「そうなんだけど、なんだかうまく言えなくて……」

さっき俺に告げたように言えばいい、上出来だったじゃないかと俺は思う。テーブルでアイスクリームがゆっくりと溶け出している。

「でも、やっぱりちゃんと言わなきゃ」

「うん……そうなんだけど……。ねぇ、もし嫌だったら無理にとは言わないんだけど、代わりに直輝くんが訊いてくれないかな」

そう言われて、思わず焦った。もちろん心の中では、通奏低音みたいに『嫌だ、嫌だ』という声が鳴り響いていたのだが、気が弱いというか、その場しのぎというか、俺の口をついて出たのは、「え？　訊くって何を？」という、とても中途半端な言葉だった。

「だから、もし私が妊娠したらどうするって？」

「妊娠したらって、もうしてんじゃないの？」

「そうだけど……、向こうにしても、いきなり『してる』って言われるより『したら』って仮定の方が、冷静に考えられると思うのよ」

琴ちゃんが丸山くんを馬鹿にしているのか、それとも琴ちゃん自身が馬鹿なのか？　俺は何も言わずにペパーミントチョコのアイスを舐めた。辛口のワインで痺れていた舌に、甘いアイスがまとわりついた。

「で、もう病院には行ったの？」

「まだ。でも、検査薬で調べたから……。見る？」

「い、いいよ」

琴ちゃんの言動からして、彼女に産むつもりがないことは明らかだった。ただ、彼氏に黙って中絶するのも気が引けるし、かといって、面と向かって『堕《お》ろせ』と丸山くんに言われるのはなおつらい。そこで、第三者の俺が仲を取り持ち、よござんすか？　よござんすね？　で、あと腐れなくこの問題を切り抜けたいらしかった。

アイスクリームを食べ終わっても、琴ちゃんはソファで身じろぎもせず、俺はトイレにも立てない重苦しい雰囲気の中にいた。つい、「分かった。いいよ。丸山くんに会ってやるよ」と言ったのは、早くこの雰囲気から逃れたかったからだ。

「そうと決まったら早い方がいいよ。赤ちゃんは待ってくれないんだから」

そう言いはしたが、調子よくこんなことを言うから、次から次に相談事を持ち掛けられるんだ、と反省もした。

琴ちゃんは、「そ、そうよね」と言ってソファから立ち上がると女部屋へ駆け込み、丸山くんのスケジュールが書き込まれているらしい手帳を持ち出してきた。

「えーとねぇ……、来週だったら火曜の夜か、木曜の午前中は？」

妙に楽しそうな琴ちゃんの声は、どう聞いても、堕胎を宣告されに行く日を決めている声ではなかった。

ここ数年、どうも自分の考えとは別の方向に物事が転がっていく傾向がある。もっと言えば、自分のためにやっているにすぎないことが、どこをどう巡り巡ってそうなるのか、誰かを思いやっての行動だと、周りの人に勘違いされてしまう。たとえば、美咲が未来をここへ連れてくると言い出した時も、俺はただ、二人の間に未来が入ることで、当時、毎夜の如《ごと》く繰り広げられていた美咲との喧嘩が、それでなくなるのなら、という自分本位な考えだけで承諾した。にもかかわらず、美咲や未来、果ては「Halcyon」のマスターにまで、度量が大きいと褒められた。良介をここに引っ張り込んだ時もそうだ。高校の後輩である梅崎から、失恋して目を離すと自殺しそうな後輩がいると聞かされ、「だったらうちに連れてこいよ」とたしかに言った。しかしそれはあくまでも、毎日やけに楽しそうに、まるで俺を無視したような暮らしぶりの美咲と未来が妬《ねた》ましく、そんな二人に自殺寸前の男でもあてがってやれ、という卑《いや》しい悪意からでしかなかったのだ。自殺寸前のはずが、良介はここで暮らすようになると、すっかり元気を取り戻し、梅崎からは「さすが先輩」と尊敬までされてしまった。琴ちゃんの同居を許したのは、美咲が出ていって以来、散らかり放題だった家に嫌気が差していたからだ。いくら彼女が美人だからといって、もしも琴ちゃんが掃除好きな女でなければ、一日中リビングに陣取り、男からの電話を待っているだけの女など、誰が一緒に暮らしたいと思うだろうか。

そんなこんなで、俺は自分が得をするようにしか行動していないのだが、琴ちゃんにしろ、良介にしろ、未来にしろ、サトルにしろ、なぜかしら何か問題が起こると、当たり前のように俺に相談してくる。今夜の琴ちゃんの件を例に挙げても、相談されたところで、親身になって相手のことを考えてやったことなど一度もない。それなのに、その突き放し加減が、多分に性格の歪んだところのある彼らには、ある種の思いやりに感じられるらしく、不本意にも俺の株が上がってしまう。相手に思いやりを示さないことで、いつの間にか俺は、彼らの良き兄貴分に祭り上げられている。こんな身勝手な思いやりにさえ満足してしまう彼らとは、一体、世間でどんな扱いを受けているのか？　それを思えば心配にもなる。いや、そんな風に考えるから、また頼られてしまうのかもしれない。

5・4

久しぶりに一日も休まず一週間ジョギングを続けた。やはり仕事から戻って走りに出るよりも、早朝まだひんやりとした街へ飛び出していく方が、断然気持ちよかった。二日間だけ、良介があとをついてきたが、三日目の朝には声をかけても、布団から出ようともしなかった。

体調が良く、適度に体が疲れていると妙に人肌恋しくなる。日曜日、偶然にも美咲が泊まりに来た。彼女は薄い生地の花柄のロングスカートを穿き、乳房の形がくっきりと浮き出るTシャツを着ていた。彼女が持っている服の中で、俺が一番好きな組み合わせだった。

自分で買ってきた羊羹《ようかん》を食べながら、美咲が、「ねぇ、たまにはどこかヘンな場所でヤってみない？」と誘うので、「ヘンな場所ってどこだよ？　たとえば、良介の布団とか？」と俺は茶化した。

「やめてよ、あんな涎まみれの布団」

「じゃあ、どこだよ、ヘンな場所って」

しばらく二人で話し合っていると、「あら、美咲さん、来てたの？」と、珍しく外出していた琴ちゃんが戻ってきた。

三日前、俺は丸山友彦に恵比寿の小さな喫茶店で会っていた。彼は帽子を深く被っていたにもかかわらず、店のウェイトレス三人にサインをねだられた。テレビで見るよりも、丸山くんは幼く見えた。芸能人なんてどうせいけ好かない奴だと思っていたし、話がこじれるのも面倒だったし、彼も次の仕事が詰まっていたしで、手っ取り早く用件だけを済ませた。彼は、「分かりました」と静かに呟いたあと、「あの、少し考えさせて下さい」と言った。喉元まで『いや、琴ちゃんは産むつもりないよ』という言葉が出かかったが、なんとなく想像と違う彼の生真面目な態度の前で、『堕ろせって言ってやれば、琴ちゃんもホッとするんじゃないかな』とはさすがに言い出せなかった。

「一週間以内に必ずあいつに連絡します」

丸山くんはそう言い残して喫茶店を出ていった。もし『産んでくれ』なんて言われたら、琴ちゃんは一体どうするんだろうかと、こっちの方が心配になった。おそらくここ数日中に、琴ちゃんの元へ運命の電話がかかってくる。

冷蔵庫からボルヴィックを取り出す琴ちゃんに、「どこ行ってたの？」と尋ねると、何食わぬ顔で、「選挙」と答える。

「選挙？　琴ちゃん、住民票ここに移したんだっけ？」

「いや、まだ。未来が行かないって言うから、代わりに私が投票してきたの」

琴ちゃんはそう言うと女部屋へ姿を消した。丸山くんからの電話を待つのに疲れているはいえ、自分が重大な違法行為を犯したことに、まったく気づいていないらしい。

その時、横にいた美咲が、「あ、分かった。ヘンな場所！」と声を上げた。

美咲に連れて行かれたのは、なんと投票所になっている近所の小学校だった。

「ここ？」

俺は思わず逃げ腰になった。「大丈夫よ。そっと忍び込めば」と、やけに自信ありげな美咲に背中を押され、俺らは立ち入り禁止のロープを跨ぎ、誰もいない校舎へと侵入した。一旦入ってしまえば、たしかに誰に見つかるというわけでもなかった。身を屈めて廊下を進み、二階への階段を上がってみると、一番手前が4年1組の教室で、俺は音を立てないよう慎重にドアを開けた。ひっそりとした教室の窓には、ベージュのカーテンが引かれ、うっすらと午後の日が差し込んでいる。久しぶりに見た小学校の机や椅子が、まるでおもちゃのように小さかった。美咲とその小さな椅子に並んで座った。「ねぇ、小学生の頃、どんな子だった？」と彼女が訊くので、「どんなって、別に普通だよ」と答えた。机の中に手を突っ込んでみると、硬くなったパンが出てきた。横で、美咲が音楽の教科書を開いていた。

彼女の前の席に移動し、体を捩《よじ》って小さな机ごしに美咲の唇にキスをした。「なんかドキドキするね」と美咲が言った。たしかにドキドキすると俺も思った。

さすがにお互い素っ裸にはなれなかったが、小学校の教室の中で、捲り上げたTシャツからこぼれる美咲の白い乳房は、踏みつけてみたくなるほど淫《みだ》らだった。重ねていた唇を離した時、「ねぇ、まだ私のこと愛してる？」と、美咲がとつぜん言った。

俺はしばらく考えてから、「そう思われると、ちょっと負担になるけど……。でもまだ愛してるかな」と答えた。彼女はフンと鼻で笑ったあと、「相変わらずね」と呆れたように呟いた。

「相変わらずってどういうことだよ？」

「相変わらずは相変わらずよ」

ずれたブラジャーを元に戻しながら美咲が言う。その時、廊下から足音が聞こえ、お互いに見つめ合ったまま息を殺した。足音はまったく歩調を緩めることなく、階段を降りていったようだった。

「そう言えば、未来から聞いた？」

「何を？」

「本気かどうか知らないけど、ハワイに行くって言ってたわよ」

「ハワイ？　誰と？」

「旅行じゃなくて、住むんだって」

「住む？」

「そう。でも未来のことだから、本気かどうか分かんないわよ。どっかの飲み屋でサトルくんたちと飲んでる時に、神戸のお菓子メーカーの社長と知り合ったんだって。で、その会社の保養所みたいなのがオアフ島にあって、そこの管理人になるとかなんとか言ってた」

「なんだよ管理人って？」

「知らないわよ。でも写真見せてもらったけど、そうとう豪華なコンドミニアムだったわよ」

「そんなの酒の席での話だろ？」

「さぁ、どうなんだろう」

美咲の話を聞きながら、俺は小さな椅子を立って廊下の様子を窺いにいった。長い廊下が延びているだけで、誰も歩いてくる気配はない。耳を澄ますと、子供たちの笑い声の残響が聞こえてきそうだった。

夜、美咲と二人で食事に出かけた。リビングにいた琴ちゃんを誘ったが、十時から丸山くんが出演しているドラマがあるので行けないと素っ気なく断られた。未来は仕事から戻っておらず、良介はバイト、サトルからは相変わらず音沙汰がなかった。

駅前に新しくできた牛タン屋で食事をして、フランス人がやっているバーでワインを飲んだ。ほろ酔い加減でうちへ戻ったのが十時過ぎで、リビングへ入ると、なんと、そこに深刻な顔をした丸山友彦が座っていた。「あ！　あ！」と、美咲がソファに座る実物の丸山くんと、ちょうどテレビの中で、桜の樹の下を走っていた彼とを交互に指差した。

部屋の雰囲気を察知した俺は、美咲の手を引いて男部屋へ退散した。「琴ちゃんって、ほんとに丸山友彦と付き合ってたんだね」と、美咲が呑気なことを言いながらドアに耳を当てようとするので、「やめろよ」と少し乱暴に彼女の腕を引っ張った。

しばらくの間、リビングからはテレビの音しか聞こえなかった。先週の放送分から、丸山くん演じる青年は、親友に恋人を横取りされた傷心の江倉りょうと、古いアパートで同棲生活を始めている。『あいつのことを思いながら、俺に抱かれるあなたを見ていられない』などとクサい科白を吐いている彼の声が、テレビのスピーカーから、実物の彼がいるリビングを経由して、男部屋まで届いていた。「なんかヘンな感じね」と美咲が言った。「何が？」と尋ねると、「なんだか、そこで話してるみたい」と笑う。実際、その通りだった。テレビくらい消せばいいのに、と俺は思った。

琴ちゃんと実物の丸山くんとの会話が聞こえてきたのは、番組がCMに入ってからだった。「やめろよ」と注意したのに、美咲はまたドアに耳を押し当てた。

リビングで交わされている会話を要約すれば、「あなたに迷惑をかけたくない」という理由で出産を拒む琴ちゃんを、「そんなことはない。きっとうまくやっていけるよ」と丸山くんが説得しているというのが建前で、本音を言えば、お互いに何か適当な堕胎の理由が見つからないものかと必死で探しているらしかった。『堕ろしてくれ！』と人気俳優が諭し、『産ませて！』とファンの女が懇願しているのなら、簡単にその結末を予想できるのだが、『産んでくれ！』と人気俳優が懇願し、『堕ろさせて！』とファンの女が説得する物語の結末というのは、なかなか先の読めるものではない。

ドアに耳をつけ、二人の会話を聞いていた美咲が、「なんだか、逆メロドラマって感じね」と笑い、「スペイン辺りの昼メロにならこの手の展開もありそうだけど」と言った。俺はスペインの昼メロを知らなかったが、代わりにアルモドバル監督の「グロリアの憂鬱《ゆううつ》」という映画が浮かび、あるインタビュー雑誌で監督が、『悦びに満ちた顔は、苦痛に歪む顔とそっくりだ。……私はフランコ政権などまるで存在しないかのように映画を撮ってきた』

と言っていたのを思い出した。

丸山くんは、自分が出ているドラマが終わった頃、男部屋にいる俺と美咲に、「お邪魔しました」と挨拶して帰っていった。なんでも下でマネージャーが待っているという。ドア越しに聞いていた限りでは、二人の問題はなんの決着もついていない。

リビングへ出て琴ちゃんに話を蒸し返されるのが面倒だったので、俺は男部屋に残った。代わりに出ていった美咲が、「盗み聞きする気はなかったんだけど」と前置きしたあと、「早く決めなきゃ、赤ちゃんは待ってくれないよ」と少しきつい口調で言い、黙り込んだままの琴ちゃんに、「丸山くんが親身になってくれてるんで、それが嬉しくて長引かせてんでしょ?」と、ちょっと俺の口からは出そうもない、さすが女同士と思えるとどめの一発を刺していた。

その夜、美咲は泊まらずに帰った。泥酔した未来が帰宅したのは深夜二時過ぎで、男部屋へ入ってきて、電気をつけたのは気づいていたが、俺は寝たふりを続けていた。ただ、あまりにも執拗に体を揺するので、結局は根負けして、「なんだよ」と蛍光灯の白い光に目をしばたかせた。

「今までシモキタの『ブロツキイ』で良介と飲んでたのよ」

未来にそう言われてベッドの下を見ると、たしかに良介の布団はまだ畳まれたままになっている。

「貴和子ちゃんと一緒だった。あの二人、うまくいってるみたい」

俺はただ、「うん」と答えた。

「サトルね、出ていっちゃったんだって。荷物持って出ていっちゃったんだって」

未来にそう言われ、サトルの荷物など、この家にあったのだろうか、と思った。

「ねぇ、あいつ、今夜どこで寝るんだろ？」

「友達のとこじゃないか？」

素っ気なく答えると、俺は顔を壁に向けた。未来はまったく気にせず話を続ける。

「前にね、サトルに日比谷公園に連れてってもらったことがあるの。真夜中にさ、二人で野外音楽堂に忍び込んだのよ。泊まる所がない時、あいつ、その音楽堂で寝てたんだって。舞台の周りに長いベンチが並んでてさ、そこに寝転がると、すっごく冷たいの。夜のベンチって背中が痛くなるくらい冷たいのよ。東京のど真ん中なのに、遠くから車の音が聞こえるだけで、寂しくなるくらいシンとしてて……。あいつまだ十八よ。それなのにさ、あんな所で何度も朝を迎えたことがあるんだよ」

未来の声を背中で聞きながら、俺はふとサトルにバイトの件をまだ伝えていないことを思い出した。前に試写会案内状の宛名貼りを手伝わせた時、「もう帰っていいぞ」と言ったのに、「もうちょっと手伝わせてよ」と、何度も失敗しながら、懸命にコピー機を操作していたサトルの横顔が浮かんだ。

「眠い？」

未来の声が、少し寂しそうだった。俺は、「いや、別に」と答えた。

「リビングのソファで眠ってるサトルの寝顔、見たことある？　まだ子供よ。……まだ子供なのに寝る所がなくて、あんな公園のベンチで寝てるのよ」

寝返りを打つと、目の前に未来の顔があった。思わず互いに見つめ合ってしまった。妙な沈黙ができる。

「ねぇ、直輝ってさぁ、私のこと、男嫌いのレズかなんかだと思ってるでしょ？」

「え？　なんだよ、いきなり」

「そんなに脅えることないじゃない。……あ、私にキスされるとでも思った？」

鼻先にかかる息で、彼女がウォッカを飲んできたことが分かった。

「ものは試しでやってみない？　ほら、隣の占師の話じゃ、あんた、変化を求めてるんでしょ？　明日から何かが変わるかもよ」

「いいよ、そんな無理に変えてもらわなくても」

「な〜によ、せっかくお手伝いしてやろうと思ったのに」

未来はそう言うと、蛍光灯を消して男部屋を出ていった。

『あなたがこの世界から抜け出しても、そこは一回り大きな、やはりこの世界でしかありません……』たしかこれが、隣の占師の言葉だった。

5・5

会社に琴ちゃんから連絡があり、「さっきサトルくんから電話あったんで、バイトの件でそっちにかけるように言ったんだけど、もうかかってきた？」と妙にはしゃいだ声で訊くので、「いや、まだない」と、忙しかった俺は素っ気なく答えた。

「あ、そう。じゃあ、まだ聞いてないんだ？」

「何を？」

「サトルくんが今どこで寝泊まりしてるか」

社長と百地さんが現在カンヌへ出張中のため、電話応対だけで一日が終わってしまうほどだった。俺は早く電話を切ろうと、「どこで寝てんの？」とぶっきらぼうに訊いた。琴ちゃんは少しもったいぶった感じで、「サトルくんね、毎晩、桃子のシートで寝てるんだって」

と笑った。

「友達の所じゃなかったんだ？」

「最初はそうだったみたい。でもその友達が最近、捕まっちゃったんだって。マリファナ所持の現行犯で」

その時、別の電話が鳴り出した。「あ、ごめん」と謝って切ろうとすると、「ねぇ、今夜、帰りに駐車場に寄って、サトルくん連れて帰ってくれれば」と琴ちゃんが言う。俺は、「ああ、分かった。そうしてみる」と答えて電話を切った。ただ、イラストレーターからの電話に出て、細かくチラシの色指定をしているうちに、そんなことなどすっかり忘れてしまっていた。

それからも電話はひっきりなしに鳴り続けた。マスコミ試写の問い合わせ、出版社からのカラーポジの依頼、雑誌取材の申し込み、印刷所からのゲラ確認……。四台ある会社の電話にたった一人で応対していると、次第に手の動きや口調が機械的になり、全身に奇妙な昂揚《こうよう》を感じる。受話器を置いた瞬間に、待ち構えていたように別の電話が鳴る。手を伸ばさなければ、滑稽なベルが鳴り続く。すぐに別の電話も鳴り出して、二つのベルが輪唱のように重なった。大きく息を吐くと、腹の底から笑いが込み上げてくるようだった。その時、背筋が一瞬ゾクッとした。カンヌで映画を買い付けているわけでもなく、企画会議の壇上でプレゼンをしているわけでもなかった。ただ、誰もいない小さな会社のデスクで、電話応対に追われているだけだった。それなのに、この状況にある種の喜びを感じているような気がしてゾッとした。

電話はまだ鳴り続けていた。その電話に向かって、「うんざりだ」と小声で呟いてみた。声の響きがどうも嘘っぽかった。もう一度、今度は大声で、「うんざりだ！」と叫んでみた。しかし、狭いオフィスに響いた声は、『しあわせだ！』と叫んだようにしか聞こえなかった。

久しぶりに仕事を早目に切り上げてうちへ帰ると、リビングで良介と琴ちゃんが仲良く並んでテレビを見ていた。どうせまた恋愛ドラマだろうと思ったが、それはＮＨＫのドキュメントで、何年か前にＭＣＡを買収した松下電器産業がハリウッドビジネスから撤退してしまう経緯を描く番組だった。結局俺も、二人の間に座り込んで最後まで見てしまった。

番組が終わり、着替えようと男部屋へ向かっていると、「今度の火曜日、病院行ってくる」という琴ちゃんの短い言葉が背中に聞こえた。俺はほとんど反射的に、「うん」と答え、そのまま部屋へ入ろうとした。そしてふと足を止め、「病院って？」と慌てて振り返った。

「じゃあ、やっぱり堕ろすの？」

そう訊くと、琴ちゃんはテレビに顔を向けたまま、コクンと深く肯いた。

「いいの？　それで」

俺は琴ちゃんの後頭部に尋ねた。「うん。ありがとう」という答えだった。何に対する

「ありがとう」なのか分からなかった。ただ、これ以上、首を突っ込む必要はないのかもしれない。何も言わずに男部屋へ入ってスーツを脱いだ。ジャージに着替えながら、もし琴ちゃんが自分の妹でも、同じように振る舞っただろうかと考えた。そしてすぐ、いや、琴ちゃんは妹ではない、と思い直した。

男部屋の蛍光灯が切れかかっていた。点滅する白い光に照らされた上半身裸の自分の姿がサッシ窓に映っていた。ガラスに映る自分の姿は、点滅に合わせて、はっきりと映ったり、消えてしまったりする。しばらくその連続を見ていると、ちょうどその中間点であるらしいぼんやりとした白い影だけが視界に残るようになった。ふと、琴ちゃんのお腹にいる胎児の姿を思った。そして、さっき琴ちゃんがこちらを振り向かずに肯いたことを思い出した。

点滅する目障りな蛍光灯を消すと、真っ暗になった部屋が、窓の外に広がる夜に呑み込まれたようだった。

どれくらい突っ立っていたのか、気がつくと、足元にリビングの明かりが伸びていた。ドアの隙間から顔を出していたのは琴ちゃんで、真っ暗な部屋にぼんやりと立ち尽くす俺を、ばつの悪そうな表情で見つめている。俺は慌てて、「蛍光灯が切れかかっててさ」と言い訳し、わざわざその証拠を示すように蛍光灯の紐を引いた。点滅する明かりを見て、琴ちゃんも安心したようだった。

ジャージの腰紐を結びながら、「何？」と尋ねると、これから良介とビデオを借りに行くのだけれども、何か最近のお薦めはないかと訊く。玄関から、「何やってんの？　行こうよ」と叫ぶ良介の声がして、俺は、「ごめん、思いつかない」と、琴ちゃんの背中を押してリビングに出た。

二人がビデオ屋へ出ていくと、つけっぱなしだったテレビのスイッチを切り、ソファに座り込んだ。尻の下に、良介のキーホルダーが落ちていた。手に取ると、黒革のホルダーに五つも鍵がついている。一つはこのマンションの鍵、おそらくもう一つが桃子の鍵としても、あとの三つが分からない。一つは貴和子ちゃんの部屋の鍵で、もう一つが実家の鍵かもしれない。ただ、五本目の鍵がどこを開けるためのものなのか、まったく見当がつかなかった。

俺はキーホルダーをテーブルに投げた。五つの鍵がぶつかって、小気味よい音を立てた。テレビを消したせいで、壁時計の秒針の音まで聞こえた。少しでも体を動かすと、合成革のソファが鳴る。いつも誰かしらいるこのリビングで、久しぶりに一人だった。なんとなく落ち着かず、ソファから立ち上がってテレビをつけた。その足で最近あまり入ることのなかった女部屋へ、なんとなく入ってみる。美咲がいた時と違い、未来のベッドの位置が少しだけ移動していた。電気をつけ、ベッドの周りを半周した。床に琴ちゃんが使っているらしい布団がきちんと畳まれ、バティック柄のカバーがかけてある。壁際に段ボールが三つ並んでいた。琴ちゃんの洋服などが入っているものらしかった。琴ちゃんはたったこれだけの荷物で生活している。何気なく足で動かしてみると、段ボールの間に宅配便の送り状が突っ込まれていた。引っ張り出してみると、どの送り状にも、ボールペンですでに文字が書き込まれてある。送り先は琴ちゃんの実家になっていた。東京都の大垣内琴美から、広島県の大垣内琴美へ。自分から自分への宅配便。送り状は全部で三枚あった。琴ちゃんの生活用品が入った段ボールも三つだった。

不思議なことになんの感情も湧いてこなかった。琴ちゃんがここを出ていくかもしれない。琴ちゃんがいなくなるかもしれない。そう思いはするのだけれど、その先になんの感情も湧いてこない。考えてみれば、初めて琴ちゃんがここへ来た時から、ずっとそう思っていたのかもしれない。今日から一緒に暮らしましょう、と言いながら、じゃあ元気でね、さようなら、と同時に言っていたような……、始まった瞬間に終わった状態のまま前へ進んできたような……、そんな感じがしてならない。もしかすると、琴ちゃんは初めてこの部屋へやってきた日に、すでにここを出ていっていたのかもしれない。俺はこの数ヶ月、いずれここを出ていくだろう琴ちゃんではなく、すでにここを出ていった琴ちゃんの残像と、愉快に楽しく暮らしてきたのかもしれない。

琴ちゃんが気を利かせて買ってきてくれるとは思えなかったので、新しい蛍光灯を買いに出ることにした。玄関を開けると、ちょうど同じタイミングで隣の402号室のドアが開き、例の占師が両手にゴミ袋を提げて出てきた。何度か見かけたことはあったが、まだ一度も話したことはない。しっかりと目が合ってしまったので、とりあえず「こんばんは」と声をかけたが、占師は露骨に顔を背けた。なぜかしら、「あ、すいません」と俺は謝ってしまった。閉められた彼の玄関ドアの中から、猫の鳴き声がしていた。それも一匹ではなく、五、六匹の猫が苛立たしげに鳴き声を上げ、ドアを爪で引っ搔いているようだった。

なんとなく占師と同じエレベーターに乗る気になれず、階段で一階まで降りると、運悪くエレベーターの扉が開き、また彼と目が合った。今度はこちらが先に目を逸らした。視界の端で占師が観念したようにぺこっと頭を下げたようにも見えたが、改めて振り返るには、あまりにも目の逸らし方が露骨すぎた。

マンションを出て、車の間を縫い、通りを渡って目の前のコンビニに入った。省エネ型の蛍光灯を二本と、少し黒ずんだバナナを一房、買った。店を出て、再び通りを渡ろうとしていると、コンビニ脇の非常階段から、背広姿の男が降りてきた。コンビニの上は、二階と三階が生命保険会社の事務所で、四階が鍼灸院《しんきゅういん》、五階がオーナーの自宅になっている。単なる好奇心から、男が降りてきたその非常階段を上がってみることにした。

四階と五階の踊り場まで上がると、通りを挟んで向かいに建つマンションの、自分たちの部屋が丸見えだった。部屋は横長の造りで、男部屋の窓も、リビングの窓も、女部屋の窓も、全てが通りに面している。どの部屋も電気がついており、男部屋の蛍光灯だけが、相変わらず点滅している。リビングではテレビがつけっぱなしになっていた。少しだけ薄暗い女部屋にも、カーテンは引かれておらず、壁に飾ってある未来のイラストまではっきりと見える。

蛍光灯二本とバナナが一房入ったビニール袋を足元に置き、鉄柵に顎を載せて、自分たちの部屋を眺めた。どの部屋にも、誰もいなかった。いつも自分たちがいる部屋を、外から眺めるというのは、なんとも奇妙な感覚だった。そこに誰もいないからではなく、あの中で自分たちが暮らしているのだということが奇妙だった。がらんとした三つの部屋に、誰かがいるところを見てみたかった。もうしばらく待っていれば、ビデオ屋から琴ちゃんと良介が戻るかもしれない。

その時、なぜかしらサトルのことを思い出した。いつだったか、二人で駅前のラーメン屋へ行った時のことだ。皿を抱えてチャーハンをかき込みながら、「頼みがあるんだけど」とサトルが言った。俺は聞くともなく耳を傾けていた。

「おれの友達に誠って奴がいるんだけど、そいつもうちに呼んで、一緒に暮らさせてもらえないかな」

サトルの話では、すでに琴ちゃんに相談し、良介や未来にも聞いてみたらしいのだが、三人からは反対されたということだった。そこで俺からもう一度、彼らに頼んでほしい、と言うのだ。話を聞きながら、俺はラーメンを啜っていた。サトルの話が終わったのと、俺がスープを飲み干したのが同時だった。丼を置いて顔を上げると、サトルがじっとこちらを見ている。俺はほとんど無意識に、「お前、なんか勘違いしてないか？」と言った。一瞬、サトルの顔からさっと血の気が引くのが分かった。慌てて、「あ、いや、っていうか、もう寝る場所ないだろ？」と付け加えたが、サトルは、「そうだけど……」と言ったきり、そのまま黙り込んでしまった。

非常階段の踊り場から、誰もいない自分たちの部屋を眺めながら、ぼんやりとそんなことを思い出していた。

いくら待っても良介と琴ちゃんが戻らないので、諦めて帰ろうかと思ったその時、マンションの前に紺のBMWが停まった。助手席から降りてきたのは美咲で、一瞬、声をかけようかと鉄柵から身を乗り出したが、車から降りた美咲が運転席の方へ回り込み、見知らぬ男を無理やり引っ張り出そうとする。運転席から降ろされたのは、冴えない中年男で、谷津《たにつ》という美咲の新しい彼氏に違いなかった。嫌がる男の腕を引っ張り、美咲はマンションの玄関へ入った。あとを追おうかとも考えたが、二人が俺らの部屋に入る様子を、ここから眺めてみたいという気持ちになった。

美咲の姿は、すぐにリビングに現れた。まだ玄関に立っている男を呼んでいるのか、小さく口が動いている。美咲は男部屋のドアを開けた。視界から一瞬消え、すぐに蛍光灯が点滅する中に現れる。男の方はまだ姿を現さない。美咲は点滅する電気を消した。目の前にあった三つの明るい部屋が二つになり、男部屋を出た美咲が、リビングを抜け女部屋へ入る。俺は美咲に向かって手を振ってみた。しかし美咲は、窓の外を見ようともしない。

リビングへ男が入ってきたのはその時で、キョロキョロと辺りを窺いながら、美咲を手招きしているところを見ると、『早く出よう』と言っているらしい。リビングへ戻った美咲が、外国人のように肩を上げ両手を広げてみせた。出来の悪いパントマイムのようだった。俺は男の顔を正面から見ることができた。なんてことのない男に見えた。美咲は無理やり彼を女部屋へ連れていくと、『ここで暮らしてたのよ』とでも教えているのか、前に彼女のベッドが置かれていた場所を指差した。その時だ。女部屋の壁に飾られた未来のイラストをぐるっと見渡していた男の目が、窓ガラスを突き抜けて俺の目にぶつかった。一瞬、お互いの瞳が揺らいだような気がした。こちらが目を逸らさないでいると、彼は、まるで俺など目に入らなかったかのように、視線を自然な感じで部屋の壁に戻し、そのまま美咲の手を引いてリビングへと戻った。

　その後、二人は十分以上リビングのソファに座っていた。何度か、男の方が立ち上がり、美咲の腕を引っ張る姿が見られたが、それ以外の時は、ソファに向かい合っている二つの頭部がそこにあるだけだった。

　動きのなくなった二人の頭部を眺めていると、ふと奇妙な疑念が浮かんだ。美咲は今、晴海の高層マンションで暮らしているんだよなぁ、などと、ぼんやり考えている最中だった。

　ふと浮かんだ奇妙な疑念というのは、美咲だけではなく、あのマンションで暮らしている誰もが、実はそれぞれ別の場所で暮らしているのではないか……、美咲が日頃は晴海の高層マンションで暮らしているように、未来や琴ちゃんや良介やサトルも、それぞれここ以外の場所に、自分の部屋を持っているんじゃないだろうかというものだった。ということは、目の前に見えるマンションでちゃんと暮らしているのは、俺だけということになる。現実的にはまったくありえない話ではあったが、その空想は妙に俺を当惑させた。

　まだ未来が引っ越してくる前、美咲との同棲生活がうまくいかなくなり始めた頃、美咲がこんなことを言っていたのを思い出す。

「ここで暮らしているのは私と直輝の二人きりよね。でも、ときどきね、私、ここにもう一人誰かがいるような気がするのよ。うまく説明できないんだけど、それはきっと、私と直輝が、二人で生み出したモンスターのようなものなのよ」

美咲はだからと言って、「そいつのせいで私たちの間が険悪になるのだ」とは言わなかった。ただ、人と人とが寄り合えば、好むと好まざるとにかかわらず、そういったものを生み出してしまうのではないだろうか、と言っただけだった。

良介たちが戻ってくる前に、美咲と男は部屋を出てしまった。俺も彼らに合わせて階段を降り、今度は一階と二階の踊り場からマンションを出てくる二人の姿を眺めた。外灯に照らされた谷津の顔が、さっきよりも鮮明に見えた。やはり、なんてことのない男だった。

彼らの車が走り去るのを待って、通りを渡った。部屋へ戻り、リビングの窓を開けると、さっきまで立っていた階段の踊り場が真正面に見えた。鉄柵の足元に、蛍光灯二本とバナナの入ったビニール袋があった。俺は舌打ちをして、美咲たちが座っていたソファの側面を蹴った。中のベニア板がバリッと割れた。もう一度蹴りつけると、その穴に爪先《つまさき》が深くめり込んだ。

窓を開けると雨の匂いがした。ベランダへ出て、空を見上げてみたが、雨雲はなく、白い月だけがあった。ふと、隣の占師が新月と満月の頃にしか客を取らないことを思い出した。しっとりとした夜気が頰を撫で、Tシャツの袖口《そでぐち》から腋《わき》の下をくすぐった。振り返ると、取り替えたばかりの蛍光灯が眩しかった。

ベランダから部屋に戻り、ジョギング用のジャージに着替えてリビングへ出た。ビデオを借りに出たまま、良介と琴ちゃんはカラオケ屋にでも行ったらしくまだ戻っていない。今夜はどこで飲んでいるのか、未来の姿もない。壁の時計を見ると、すでに十一時を回っている。

玄関でシューズの紐をきつく縛りながら、今夜はどっち方面へ走り出そうかと考えた。旧甲州街道を東へ向かい、環八《かんぱち》を越えて馬事公苑《ばじこうえん》を目指してもよかったし、北へ向かい、首都高速の高架下を抜け、井の頭公園辺りまでなら走る気力も充分にあった。

玄関で何度か跳躍をしていると、ドアの向こうから良介と琴ちゃんの笑い声が聞こえた。ドアを開けると、廊下を歩いてくる二人の視線が、俺の足元へ向けられ、一瞬、なぜかしら迷惑そうな顔を、二人が同時にした。

「遅かったな」

そう声をかけると、「これからジョギング？」と尋ねる琴ちゃんの声と、「帰りにパフェ食べてきたから」と答える良介の声が重なった。良介の手にはビデオ屋の袋が握られていた。

「結局、何借りてきたんだよ？」と訊くと、「内緒だよ、内緒」と良介が笑い、「せっかく一緒に観ようと思ってたのにぃ」と琴ちゃんが意味ありげに言う。

「走りにいくから無理だよ」と俺は答えた。

「そうよね」

琴ちゃんと良介が玄関に入り、押し出されるような格好で外へ出た。「で、何借りてきたんだよ?」ともう一度尋ねた。琴ちゃんが靴を脱ぎながら、「アダルトビデオよ」と笑い、すぐに良介が、「俺じゃないよ。琴ちゃんが借りたいって言ったんだよ」と弁解した。

俺はドアを閉めて廊下を進んだ。エレベーターに乗り込み、中で膝の屈伸をすると、体の重みで床が大きくしなった。

マンションのエントランスで、改めて準備運動をする。耳に突っ込んだヘッドフォンから、マリア・カラスの声が響いている。「アンドレア・シェニエ」の「なくなった母を」だった。アキレス腱《けん》をゆっくりと伸ばして、テープの巻き戻しボタンを押し、大きく深呼吸してから走り出す。

エントランスを飛び出すと、旧甲州街道へ出る。はっきりと決めていたわけではなかったが、自然と足が左へ曲がった。車道と歩道を区切る白線の上を走った。電柱があると、真っ直ぐな白線が歪曲《わいきょく》し、車道の方へ少し膨らんでまた元へ戻る。立ち話をするカップルと、違法駐車された車の間を走り抜けた時、耳にマリア・カラスの声が蘇った。元伯爵令嬢が助命を嘆願して歌うこの不朽のアリアを聴きながら、夜の街をひとり走り出す気分は悪くなかった。この世界から逃げ出しているような気分になって、自然と脚に力が入る。ストライドに合わせて、呼吸を整えた。左右の足がほとんど地面を擦《こす》るように前へ出る。少しだけ車道にはみ出して走っていると、背後からヘッドライトが迫ってきた。車が脇すれすれを走り抜けていく。車はあとからあとから、走る俺を抜き去った。逃げ出してきたはずの世界が、また俺を追い抜いていく。松葉通りを左折する。この細い通りを抜ければ、国道二十号線に出る。走っていると、不自然なものがやたらと目につく。罅の入った歩道のブロック、事故で歪んだガードレール、折れたステ看、切れかかった外灯、ブロック塀の間から顔を出した鮮やかなあじさい。

国道二十号線に出た。横断歩道の青信号が点滅している。一か八かスピードを上げ、片側三車線の広い国道に走り出た。停止線に並んだ車のライトが、焼きつけるように頬を照らした。皮膚の下でじっとしていた汗が、一気に毛穴から噴き出す。中央分離帯に踏み込んだところで、信号が赤に変わった。更にスピードを上げ、白く輝く横断歩道の残りを、全力疾走で駆け抜けた。右足を彼岸へ乗せた瞬間、背後で車が走り出す。まるで、たった今渡った橋が、とつぜん背後で崩れ落ちたようだった。

もたもたと横断歩道を先に渡っていた若いカップルを追い抜いて、松葉通りを北上した。ウォークマンの音が途切れて、曲が「ハバネラ」から「わたしは夢に生きたい」に変わった。音が途絶えている時にだけ、踏みつける地面の硬質な音がする。逆に音楽が流れていると、アスファルト地面が妙に柔らかく感じられ、まるで腐食し、ぶよぶよと波打ったリノリウムの床を、ぼこぼこと踏みつけながら走っているようになる。大地ではなく、大地を被う皮膚の上。

その時、目の前に洞窟《どうくつ》のような暗闇が広がった。高井戸で国道二十号線と分離した首都高速の高架橋が、街を押し潰すように夜空に架かっている。高架橋の下まで走り出ると、左に向きを変え、その無機質なコンクリート橋に沿って走った。阪神淡路大震災で、同じような高架橋が横倒しになっている光景をテレビで見た。ふと顔を上げてみた。この橋の上では、何百台という車が、今も無言で走っている。

高架橋下の暗い一般道に人影はなく、がらんとしたアスファルト道路で、信号だけが青から赤に変わっていた。太い柱の間にはフェンスが張られ、剝《む》き出しのコンクリートの壁が外灯を浴びて白く輝いている。黒いペンキの落書きがある。何を描いてあるのかは分からないが、あまりうまい絵ではない。いつだったか、前にここを走った時、スケボー少年たちがたむろし、殺気を感じるような奇声を上げていた。今夜、彼らの姿はない。

リズムを崩さずに走り続けた。しばらく走ると、とつぜん土の匂いがした。と同時に、雨粒が頰にぽとんと落ちてきた。いつの間にか空に雨雲が広がっていた。絵の具を全色混ぜ合わせたような色だった。雨がぽつぽつと剝き出しの腕や耳に当たる。まるで羽虫のように、外灯の周りで雨粒が照らされている。ふと、この先に良介の駐車場があることを思い出した。サトルがいるかもしれないと思った。

外灯の下を走り抜けるたび、足元に濃い自分の影ができた。影は一歩踏み出すごとに前方へ伸び、次の外灯が近づくとぼんやり消えた。後ろ向きで走ってみると、足元に別の影ができ、それが背後へと伸びていく。

世田谷区といえども、この辺にはまだ広い畑が残っている。良介が借りている駐車場はそれら畑の中にあった。駐車場の砂利を踏む感触だけが足の裏から伝わってきた。耳では相変わらずマリア・カラスの声が響いている。

良介の車は、広い駐車場の隅にぽつんとあった。駐車場に入った辺りから、徐々にスピードを落とし、息を整えながらゆっくりと歩き始めた。駐車場は真っ暗だった。車に近寄ると、フロントガラスを流れる雨粒が見えた。運転席のガラス窓に顔をつけ、中を覗いてみた。後部座席に乱れた毛布と枕があり、何冊かの漫画本が載っている。顔を押しつけたガラス窓が、鼻息で白く曇った。手に触れる車体が、心なしか温かかった。うなじに落ちた雨粒が、ゆっくりと背中へ流れ、ゾクッと体を震わせた。

本降りになる前に帰ろうと思った。車を離れながら、駐車場の中をゆっくりと走り出す。土の匂いが一層強くなっていた。雨は待ってくれなかった。マリア・カラスの声を通しても、はっきりと地面を打つ雨音が聞こえた。肩が濡れ、だんだんとTシャツが重くなる。髪の間を流れた雨粒が、額を伝って目に入り、遠くに見える信号の光がぼんやりと滲《にじ》んだ。

高速の高架橋まで戻った時には、Tシャツが胸や腹にぺったりと張りつくほど濡れていた。

雨と汗が混じり、パンツのゴムにゆっくりと染みていく。濡れた顔を拭こうとしたが、その手のひらさえ濡れていた。高架橋の下を抜ける途中、雨宿りしようと中央分離帯で足を止めた。錆びたフェンスに手をかけ、腰を折って息を整えた。顎の先から、汗とも雨ともつかないものが足元に落ち、そこにあったコンクリート片を丸く濡らした。コンクリート片からは、錆びた鉄が突き出ていた。遠くから一台の車が走ってくる。そのヘッドライトが高架橋の柱に描かれた落書きを照らし、飛沫を上げて目の前を走り去る。

微かに誰かの足音が聞こえたのはその時だった。ちょうど曲の変わり目で、乱れた自分の呼吸だけを聴いていた。顔を上げると、赤い傘を差した女が、ゆっくりと横断歩道を渡ってきていた。女は、中央分離帯に立っている俺に、まだ気づいていないようだった。白いサンダルを履いた素足が、泥で汚れているように見えた。俺は足元のコンクリート片を摑むと、柱の陰に身を隠した。全力疾走したあとの胃が痙攣《けいれん》するような吐き気を感じた。女の顔は赤い傘に隠れて見えなかった。柱の陰から飛び出した時、傘の下から女の口元だけがちらっと見えた。なぜかしら、笑っているようだった。

自分でも、そのあとどのように動いたのか覚えていない。気がつくと、俺はその女の口を塞ぎ、女の背中を錆びたフェンスに押しつけていた。女の悲鳴は聞こえなかった。その顔面にコンクリート片を打ちつけた時、グシャという感触を手のひらに感じただけだった。柔らかい女の顔に、コンクリート片がめり込んでいた。俺はもう一度、腕を振り上げた。コンクリート片が、女の顔からズボッと抜けた。ぽっかりと開いた女の口から、黒いものがどろっと流れた。上の歯と下の歯の間に、もう一列歯が並んでいるようだった。女の両目が、なぜかしら中央に寄っていた。俺は再びコンクリート片を振り下ろした。その拍子にヘッドフォンが耳から抜ける。胸元に垂れたヘッドフォンを、慌てて耳に突っ込んだ。突っ込んですぐ、コンクリート片を振り下ろした。

馬乗りになっていた女の体から立ち上がると、コンクリート片を女の胸にボトッと落とした。女の胸で、少しだけバウンドしたコンクリート片が、そのまま地面をゴツッと鳴らす。女の顔は、顎がないように見えた。ときどき口の中でゴボッと黒い泡が立つ。立ち去ろうとしたその瞬間、女の手が微かに動いた。体を屈めて見てみると、女は握ったまま傘のボタンを、親指で何度も押していた。

とつぜん背後から、手首を摑まれたのはその時だった。雨に濡れていたせいで、手首は一度すぽっと抜けたが、すぐにまた摑まれて、強い力で引っ張られた。反動で、両耳からまたヘッドフォンが抜け、鞭のように胸を打つと、大きく揺れて、だらりと足元に垂れ下がった。バランスを崩し、女の腹を踏んだのかもしれない。足の裏が何かにめり込んだようだった。顔を上げると、そこに真っ青な顔をしたサトルが立っていた。黒い傘を開いたまま下に降ろしている。震えているのが自分なのか、それとも俺の手首を摑んでいるサトルなのか分からなかった。引き攣《つ》った彼をそこに見た瞬間、急に全身から力が抜けた。それは肌をくすぐるような、とても心地のよいものだった。

目の前に立つサトルに、俺は何か声をかけようとし、慌てて口を噤《つぐ》んだ。なぜかしら『ありがとう』とお礼を述べてしまいそうだったのだ。

その時、「早く!」とサトルの口が動いた。と同時に、また強い力で腕が引かれる。俺はもう一度、女の腹を踏みつけた。サトルが更に腕を引く。「早く!」とまたサトルが言う。コンクリートの柱の陰から中央分離帯へ出た。サトルは、手を放さなかった。俺は無抵抗に引っ張られながら、耳から取れたままのヘッドフォンが気になって、何度も手で手繰《たぐ》り寄せようとした。しかし走りながらでは、尻尾のように垂れたヘッドフォンをどうしても摑むことはできなかった。

サトルに手を引かれ、良介の駐車場へ向かう間、自分が何を考えていたのかまったく覚えていない。もしかすると、本当にズルズルと引き摺ったままのヘッドフォンのことだけを考えていたのかもしれない。

駐車場へ入り、俺らは濡れた砂利を踏みながら良介の車へ駆け寄った。もたもたする俺を、サトルが無理やり助手席に押し込み、逃げ出さないようにするためか、わざわざロックをしてドアを閉めると、自分は車の前を回り込んで運転席側から乗り込んできた。乱暴に運転席のドアが閉められる。外界の音が遮断され、屋根を打つ雨音だけが車内に響く。そのせいか、緊張していた空気が、急に和んだようだった。「ったく、びしょ濡れだよ」とサトルは言い、体を捩って濡れた傘を後部座席に突っ込んだ。俺は、これからやっと何かが始まるのだと思った。ただ、そう思いはしたが、それが何か、とても愉快なことであるような気がしてならなかった。不謹慎にも、ずぶ濡れのサトルの顔を見て、笑みさえ浮かべそうだった。そして、なぜかしらひどく自分が照れているのに気がついた。

「大丈夫だよ。誰も見てなかったし、ここに来る途中も誰とも会わなかったから」

横で、濡れたTシャツを脱いでいるサトルがそう言った。正直なところ、彼がなんのことを言っているのか分からなかった。サトルは後部座席からバスタオルを引っ張り出すと、まず自分の顔と胸を拭き、それを丸めてこちらへ突き出した。何か言わなければならないことは分かっていた。ただ、その言葉が見つからなかった。もしもここで自分が何か言わなければ、このまま全てが終わってしまいそうだった。

後部座席に置かれたバッグの中から、サトルは乾いたTシャツを取り出した。俺のことになど、まったく構っていないようだった。構われない自分につい慣れてしまいそうで、「なぁ、おい」と慌ててサトルの肩を摑んだ。

「何やってんだよ！　早く、警察でもどこでもいいから突き出せ！」

震えた喉に、甘い痛みがあった。

「な、なんだよ、いきなり！　びっくりするなぁ……」

とつぜんの怒声に驚いたサトルが、迷惑そうな顔をする。俺は次の言葉を待った。サトルに『どうしてあんなことやったんだよ？』と訊かれ、やっと自分に説明する機会が与えられるのだと思った。しかしサトルは、取り出したTシャツをこちらに突き出し、「早く、着替えて」と言っただけだった。呆然としたままの俺の体に、無理やりTシャツを脱がそうとするサトルの手が伸びてくる。「やめろよ！」と、俺はその手を払った。それでもサトルの手が、「いいから、早く」と伸びてくる。

「着替えてどうするんだよ！」と俺は怒鳴った。

「だってそのTシャツ、血がついてるだろ」とサトルが言う。

「だからなんだよ！」

「それじゃ帰れないだろ！」

なるほど、俺はこれから帰るのだ。サトルに連れられて、みんなの前に突き出されるのだ。

サトルの手が、無抵抗な俺の体から、濡れたTシャツを剝ぎ取っていた。「早く！」と急《せ》かされ、手渡されたサトルのTシャツに腕を通した。Tシャツから乳臭い匂いがした。俺には少しサイズが小さかった。このTシャツを着て、みんなの前に突き出される惨めな自分の姿を思った。しかし、『お前らに咎《とが》められる筋合いはない！』そう叫ぶ自分の姿を想像すると、どこか晴れ晴れした気分になった。

「いい？　着替えた？」

サトルが運転席のドアを開けた途端、外界の音が車を呑み込んだ。砂利を叩く雨音がする。遠い空に稲光が走る。サトルに渡されたビニール袋に、濡れたTシャツを押し込んだ。あまりに強く押し込んだせいで、雨と汗と血が滲み、拳をぐっしょりと濡らす。

傘を差したサトルが助手席の方へ回り込んでいた。窓に顔を押しつけ、ビニールを結ぶ俺の様子を見ている。ドアを開けると、後ろへ退いたサトルが、車から降りる俺の頭上に、黒い傘を差しかけてくれた。

「みんな、もう帰ってるかなぁ？」

砂利を踏む音に混じって聞こえたサトルの声が、少し呑気すぎるように思われた。俺は何も答えずに、サトルの手から傘を奪った。

しばらくの間、サトルと並んで黙って歩いた。なぜかしら、ひどく退屈だった。雨の中、一本の傘を差し、サトルと並んでうちに帰ることが、ひどく退屈に思えた。早くみんなの前に突き出されたいとだけ願っていた。途中何度か、「大丈夫だよ」とサトルに言われた。その都度、『ぜんぜん大丈夫じゃないんだよ。お前はあの女の潰れた顔を見ていないだろ』と心の中で言い返した。サトルの視線がときどきこちらに向けられていることは知っていたが、わざと目を合わせずにいた。たった今、コンクリート片で潰した女の顔が、目の前に浮かんでは消えていた。まだ誰にも発見されずに、高架橋下のフェンスに凭れて、傘のボタンを親指で押しているのかもしれなかった。

住宅地の細い路地を縫い、別の道を使って国道二十号線に出た。雨に濡れたアスファルトを、水飛沫を上げながら車が走り抜けていく。長い横断歩道の白線が、暗い河に架かる橋のように見えた。サトルにぽんと背中を押されて、俺は足を踏み出した。いつの間にか信号が青に変わっていた。停止線で一列に並んだ車のヘッドライトが、俺とサトルを照らしている。照らしてはいるが、その光は雨に濡れた肌に触れるだけで、体内にまでは射し込んでこない。

「あいつらに、なんて言うつもりだよ」

俺は、横断歩道を渡り切ろうとしていた。

「なんてって……、別に何も言わないよ」

サトルの言葉に、思わず足が止まった。聞き違えたのだろうと思った。足を止めたせいで、傘の下からサトルだけが一歩前に出る。振り返ったサトルが雨に顔を歪めながら俺を見ている。

「早く！」

サトルがまた俺の手首を摑む。俺はその手を振り払い、「何も言わないって、なんだよ」と慌てて訊いた。サトルはしばらく、俺の顔をじっと見ていた。そして、「もうみんな知ってんじゃないの」と、少し面倒臭そうに呟いた。

「知ってる？」

俺はサトルの肩を摑んだ。ひどく薄い肩だった。「痛いよ」と、サトルが身を捩る。

「みんなって誰のことだよ？」

「みんなはみんなだよ。未来さんも、良介くんも、琴ちゃんも知ってんじゃないの。よく分かんないよ。お互いにそのことについて、ちゃんと話したわけじゃないから」

ひどく面倒臭そうな言い方だった。サトルは、「早く！」ともう一度、俺の腕を引っ張った。

「ちょ、ちょっと待てよ。な、なんで、みんな知ってて黙ってんだよ？」

「知らないよ、そんなの」

「お、お前はなんで黙ってたんだよ？」

「そんなの分かんないよ。みんなが言わないし……、それにおれ、けっこうあそこ気に入ってんだよね」

今夜ジョギングに出かける時、ちょうどビデオ屋から戻ってきた良介と琴ちゃんの顔をふと思い出した。二人は俺が履いているジョギングシューズを見て、なぜかしら少しだけ迷惑そうな顔をしたのだ。さっきから何度も「大丈夫だよ」と繰り返していたサトルの声が、とつぜん耳に蘇る。そして何が大丈夫なのか、やっと分かったような気がした。
足元の濡れたアスファルトがライトに照らされ、細い路地からピザ屋のバイクが、とつぜん走り出てきた。赤いユニフォームも、ヘルメットの下の顔もずぶ濡れだった。バイクが走り過ぎたあと、甘いチーズの匂いが残った。

まず玄関を入って右側にトイレがある。短い廊下を抜けて左にキッチン、その脇の引き戸を開けると男部屋になる。男部屋にはロフトタイプのパイプベッドがあり、良介はその下に布団を敷いて寝ている。男部屋のサッシ戸を開けるとベランダに出る。いつも誰かの洗濯物が干してあり、二槽式の洗濯機の中には必ず誰かの靴下が、片方だけ残されている。男部屋を出ると、そこが十二畳のリビングになっている。南側は、全面が窓で、下を旧甲州街道が走っているので多少騒音は気になるが、日当たりは良く、天井も高い。リビングを抜けると女部屋になる。元々はこの十畳の洋室が、俺と美咲の寝室だった。ただ、美咲が出ていったあと、俺はこの女部屋にほとんど入っていない。部屋はたったのこれだけしかない。人に自慢できるほど立派なマンションでもなければ、離れがたくなるほどの愛着もない。出ていこうと思えば、いつだって出ていける、そんなマンションに、俺ら五人は暮らしている。

ほとんど駆けるようにして家へ戻った。「ちょっと待ってよ」と叫ぶサトルの声は聞こえていたが、一度も足を止めなかった。

エレベーターを待つのももどかしく、四階まで階段を駆け上がった。息を整えながら廊下を進むと、一つ手前のドアがまた開いた。顔を出したのは例の占師で、目が合うと、わざとらしく何かを思い出したように、さっとドアを閉めてしまった。背後でエレベーターが開き、サトルが廊下を走ってくるのが分かった。俺は振り向かずに401号室のドアを開けた。リビングから、「あ、帰ってきた」と叫ぶ未来の声がした。玄関に屈み、濡れたシューズの紐を解く俺を押し退け、サトルが先に中へ入った。リビングから出てきた未来が、「あら、あんた、戻ってきたの？」と、久しぶりに帰宅したサトルを迎える。

「そろそろ、ほとぼりも冷める頃かと思ってさ」

サトルはそう言うと、「誰か風呂入ってる？」と呑気に訊きながら、リビングの中へ入ってしまった。先にサトルが入ったせいで、何かが軌道から外れたようだった。顔を上げると、ニヤニヤした未来が目の前に立っている。

「ちょっと来て」

まだ片方しかシューズを脱いでいない俺を未来が引っ張る。引き摺られながら、片足を上げて濡れたシューズを脱ぎ、玄関へ投げつけた。

リビングには琴ちゃんがいた。テーブルの上に小さな鏡を置き、懸命に眉毛を抜いている。いつもとなんら変わりはなかった。リビングの入口に俺を置いて、テレビへ駆け寄った未来が、ビデオの再生ボタンを押す。

「ちょっと、これ見てよ」

未来が指す画面に目を向けると、フェラチオしている女の顔が映っていた。ジョギングに出る前に、良介と琴ちゃんが借りてきたアダルトビデオらしかった。

「覚えてるでしょ？」と未来が訊く。

リビングの入口に突っ立ったまま、俺は黙って首を振った。

「ほら、この前『Halcyon』で私に水ぶっかけた女よ！　思い出した？」

俺は、男の性器に舌を這わせる女の横顔を見つめていた。未来が「Halcyon」で水をぶっかけられたことは覚えていたが、ぶっかけた女の顔までは思い出せなかった。腕組みをした未来に、「思い出した？」と睨まれ、また呆然と首を振る。

背後の風呂場から、「入ったばっかり？」と尋ねるサトルの声が聞こえた。「いや、もう出るよ」と中から良介が叫び返している。脱衣所からサトルが出てきて、リビングの入口に突っ立ったままの俺に、なぜかしらニコッと微笑む。サトルは俺の体を押し退けて、眉毛を抜く琴ちゃんの横にちょこんと座った。鏡から顔を上げた琴ちゃんが、「どう？」とサトルの方へ顔を向ける。「右の方がちょっと太いかな」とサトルに言われ、琴ちゃんはまた鏡を覗き込む。二人の横に仁王立ちした未来が、「ねぇ、この女、美人だと思う？」とサトルの背中を足で突つく。顔を上げ、テレビに目を向けたサトルが、「美人なんじゃない。知り合いなの？」と言う。

「この女に水ぶっかけられたのよ」

「なんで？」

「知らないわよ。婚約指輪かなんか知らないけど、店でダイヤ見せびらかしてるから、『あんたねぇ、そのダイヤのためにアフリカの子供たちが何人犠牲になってると思ってんのよ』って教えてやったら、この女、私が嫉妬してるなんて言い出したのよ。だから、頭にきちゃって、顔にピーナツ投げつけたの。そしたら、代わりに水ぶっかけられたのよ」

「ぶっかけ返さなかったの？」

「もちろんそうしようとしたわよ。でもね、ほら、あそこに突っ立ってらっしゃる聖人君子の直輝さんに、羽交い締めにされて押さえつけられたのよ」

未来とサトルが、同時に振り返って俺を見た。そこへ腰にバスタオルを巻いた良介が風呂場から出てきた。「ちょいと、ごめんよ」と声をかけ、まだ濡れた背中を俺の腕にぶつけて通る。良介は、「入っていいぞ」とサトルに声をかけた。「私が入ろうと思ってたのにぃ」と、その横で琴ちゃんがサトルを小突く。俺のことになど、誰も構っていないようだった。その時だ。こいつら、本当に知っているのだと肌で感じた。本当に知っていたのだと、肌で感じた。ソファに腰を下ろした良介が、「お前、勉強どうすんだよ」とサトルの頭を叩いていた。その横で琴ちゃんがあくびをし、リモコン片手に仁王立ちした未来が、相変わらずテレビを睨んでいる。これまでと同じように、俺さえ一歩前へ踏み出せば、それでいいのかもしれない。

初めて見知らぬ女を殴った夜、このリビングへ戻ってくると、パック中だった琴ちゃんに、「ねぇ、良介くんに伊豆高原に行こうって誘われたんだけど、梅崎ってどんな人？」と訊かれた。俺は、なるべく冷静を装い、「いい奴だよ」とだけ答えた。二度目の夜、同じようにここへ戻ってくると、深刻な顔をした良介と未来が、「今朝、ここのソファで寝てた男の子、直輝が連れてきたの？」と訊いてきた。俺は、「いや、知らない」と答えればよかった。三度目の夜、俺は殴ってきた女の代わりに、泥酔した未来をこのリビングで介抱した。四度目の夜、俺は一睡もできずに朝を迎え、このリビングでワッフルを食べていたサトルをバイトに誘った。

これまでと同じように、自分さえ一歩前へ踏み出せば、それで済むことなのかもしれなかった。

　俺はまだ、リビングの入口に立っている。コンクリート片で潰した女の顔がふと浮かぶ。暗い高架橋の下に倒れた女は、未だに雨に濡れているかもしれない。たとえばこの世界に、もう一つ東京があったとしたら、そこであの女が倒れているのだとしたら、俺はきっと、すぐにでも彼女を救いに行ける。

　目の前で、笑い声が反響している。いつの間にかテレビ画面には、腰を振って踊るピンク・パンサーが映っている。これが例の未来のビデオらしかった。劣悪なレイプシーンの上に、それを隠そうと、繰り返し録画された何匹ものピンクの豹。……笑顔で腰を振り、踊る、ピンクの豹たちの行進。

　ソファに座った良介が、仲良く並んだ琴ちゃんとサトルが、テレビの前に立った未来が、俺を無視して笑っている。未だ裁かれもせず、許されもせず、俺はゼロのまま入口に立たされている。まるで彼らが、俺の代わりに、すでに悔い、反省し、謝罪し終えてでもいるかのように見える。お前には何も与えない。弁解も懺悔《ざんげ》も謝罪も、お前にはする権利を与えない。なぜかしら自分だけが、ひどくみんなに、憎まれていたような気がする。

解説

川上弘美

こわい小説だ。

あんまりこわいので、どうしようどうしようとおたおたしているうちに、結局あわせて四回も読み返してしまった。

あ、吉田修一の新刊だ、と思って、なんのこころがまえもなく読んだ、最初のとき。

読みおわってからしばらく茫然として、どうしたらいいのかわからなくなった後、二ヵ月ほどたってからふたたび手に取って読んだ二回め。

この解説のために、じっくりと読んでみた三回め。

そしてもう一度。

どのときも、読後の印象がものすごく違う。同じように、こわい、と思うのだが、そのこわさがずいぶん違う。そのことがまた、こわい。

もちろんどんな小説でも、読み返すたびに受ける印象は異なるものだ。たとえば二十歳のときに読んだ『罪と罰』と、四十歳のときに読む『罪と罰』とは、ぜんぜん違って感じられるはずだ。それはまず第一に、『罪と罰』という小説自体の持つ奥行きによるものだ。そして第二に、わたしたち個人個人が二十歳から四十歳という二十年の間に大きく変化するからでもある。

けれどこの『パレード』という小説については、その二つの要因に加えてさらに違う何かが、読後の印象に変化をもたらしているように思う。

五つの章から成る小説である。各章は、異なった人物の視点で語られる。第一章は、二十一歳の大学生、良介によって。第二章は、二十三歳無職の、琴美により。第三章は、二十四歳イラストレーター兼雑貨屋店長の、未来に。第四章は、十八歳職業不詳の、サトルの言葉で。第五章は、二十八歳映画配給会社勤務、直輝の口から。

五人は東京千歳烏山の2ＬＤＫのマンションで、共同生活を送っている。章が進むにつれて、さして広いとは思えないこのマンションにどのような経緯でこれだけの人間が共に住むようになったかが、次第に明らかになってゆく。

たった十そこそこの年齢の幅の中におさまる登場人物たちの性格の違いが、さりげなく書かれているようにみえるが実は周到な語りの中からくっきりとあらわれる様は、みものだ。

たとえば第一章の良介の語り。

〈息子を東京の私立大学へ進学させるにあたって、うちの両親はかなり無理をしたのだと思う。（中略）入学金・授業料の支払いがあり、次にアパートの敷金・礼金と出ていく金に歯止めが利《き》かない。思わずぼくは、母に示された金額の分だけ、中トロを握っている父の姿を想像してしまった。〉

良介の家は地方で小さな寿司屋を営んでいるのである。母親は良介の上京に反対している。けれど良介の父親は「良介には東京に出て、もっといろんな人と知り合いになってほしいじゃねえか。だろ？　たとえばよ、土佐で鰹の一本釣りやってる男の息子だとか、京都の老舗料亭の息子だとか、北海道で酪農やってる人の娘さんでもいいよ」と説得し、結局母親を翻意させる。

まずこのときの良介の「中トロを握る父」という想像、そしてそれに続く父親の言葉が、いい。良介の家族関係がどんななのか、そして父母と良介がそれぞれどんな性格なのかが、なんと生き生きと浮かんでくることだろう。

東京へ出てきた良介はこれといった「いろんな知り合い」も増えず、ときおり父母のやりとりを思い出しては忸怩《じくじ》たる思いに沈んだりもする。ある日良介は、読みおわったスピリッツを一回くれたことのある顔見知りの学生に、「あのさ、とつぜんで悪いんだけど、お前の親父さんって何やってる人？」と聞く。この後の部分をふたたび引用してみよう。


〈「俺の親父？」

「そう」

「なんで？」

「別に理由はないんだけど……」

「公務員だよ、公務員」

「どこで」

「石川県の金沢」

そう答えると、男は首を傾げながら、教室を出ていった。……お父さん、とりあえず金沢の公務員の息子は確保しました。〉

この文章を読んだ瞬間、わたしは良介のことを好きになった。

人物を生き生きと書くことならば、まだ、できやすいのだ。でも、好きにならせることは、とても難しい。けれどわたしは、思わず良介を好きになってしまった。

良介は決して魅力にあふれた人物として描かれているわけではない。逆にマイナスの要素の多い陰ある人物として描かれているわけでもない。どちらかといえば、なんの変哲もない、という言葉の似合う男の子だ。よくもなし、悪くもなし。そういう、どちらかといえば「どうでもいい」人物を小説の中で好きにならせてしまう理由は、いくつかあるだろうが、この小説の場合は、良介の圧倒的な存在感、だろう。

なんの変哲もなさそうな人物が現実にわたしの隣人だったとして、おそらくわたしはその人物に、大した興味はひかれない。良介という男の子がそのまま小説を抜け出して、たとえばわたしの甥かなにかとして目の前にあらわれたとしても、やはりさしたる興味はひかれないと思う。けれど、『パレード』の中に描かれた良介を、わたしは好きになった。人間として「いいもんだ」と思ってしまった。

それは小説の魔法であり、文章の魔法である。『パレード』の文章によって、良介という男の子をわたしは「まのあたり」にしているように感じたのだ。たしかな存在感があるように思ったのだ。そして、好ましく思った。ちょうど、すぐれた彫刻によって造形された人間の体のかたちを、たとえそれが好みのかたちでなくとも、思わず「きれい」と感じてしまうようなものかもしれない。

そこにそのものが実際にあるように、文章だけで表すこと。それができたとき、小説の魔法がはたらく。この小説には、そういう魔法が随所に発揮されている。

五人の登場人物たちは、そのように五通りの魔法によってじつに生き生きと描かれ、結果、つぎつぎにわたしは五人を好きになっていった。

そして、最後に、解説の冒頭に書いた「こわい」が、やってきた。

前述したように、この「こわい」は変化する。

一回めに読んだときは、最終章が、とにかく、こわかった。

けれど二回めに読んだときは、最初から、ものすごくこわかった。

三回めは、最後まであまりこわくなくて、けれどそれは全体の構造をすでに知っているから、という理由からではなく——それならば二回めのときだって知っていたのだし——こわいと思わないようにしよう、というわたし自身のおもんぱかりがあったからかもしれない。それで、本を閉じるまでこわくなかったのだけれど、結局はその翌日、揺り返しがくるように、やっぱりこわさはやってきた。

四回めのときは、最初とは正反対に、最後の章はぜんぜんこわくなかったし、読みおわってからもこわくなかった。けれど、四章が終わるまでのところで、前後の脈略なく、たとえば風邪で高熱が出る前に体が間欠的にぶるっと震えるような感じで、何行かの文章を読む間だけ、突然こわさが襲ってきたりした。

　ところでここまでわたしは、こわいこわいと言うばかりで、何がこわいのか、どうこわいのかを書いてこなかった。まどろっこしい解説で、申し訳ないことではある。けれど、なぜこわいのか、ということを説明すると、この小説の仕掛けを説明してしまうことになるのだ。仕掛け、といっても、それはミステリーのトリックとはちょっと違うものだ。それよりももっと身近な、たとえば、わたしたちの現実の人生に実際に仕掛けられているような、あのこわいこと、このこわいこと、と言いかえてもいいかもしれない。そんなこわいことが、わたしの人生に、そしてわたしの身のまわりに、あったっけ？　と、最初に読んだときわたしは思ったのだ。そんなもの、あるはずがない、と。

　でも、二回め以降は、そういうふうには思えなかった。この小説そのままの出来事はたとえ起こらなくとも、限りなく似たようなことは、きっと起こり得る。そして、わたしは一章から五章までの、どの登場人物の立場でもあり得る。そのことがわかったとき、さらにこの小説のこわさは、深まる。そして結局は三回、四回と、冒頭にわたしが書いたように、思わず繰り返し読んでしまうのであるが……。

　いつまでもまどろっこしいことを書いていてもしょうがないので、最後に、解説から先に読んだ読者の方々に一つだけお願いを。必ず第一章から順番に読んでゆくこと。そして、各章の語り手がどんな人物であるか、ゆっくりと味わうこと。ともかく第五章だけは、絶対に先に読まないこと。

そんなふうに書くと、第五章から読むあまのじゃくな人がきっといると思うけれど（だいいちわたし自身がそういうタイプだし）、でもこの小説に限っては、どうかわたしの言うことを守ってください。そして存分にこの小説のこわさを味わった後に、できればもう一度、この解説も、あわせて読み返してみてください。

こんなにもこわいこわい言いながら、いまだにわたしはこの五人が好きなのである。どんなにこの小説がこわくとも、どんなにこの五人の中にさまざまな闇がかくされていようとも、現実にわたしが住む社会や現実のわたしのモラルや価値観とはまったく関係なく、わたしは五人が好きなのだ。この小説の魔法が、この小説の力が、そうさせる。そのことを、共に味わいなおそうではありませんか。

――作家

この作品は二〇〇二年二月小社より刊行されたものです。